Теологически обоснованно – практически значимо

О ТУПИКАХ И ЦАРСКИХ ДОРОГАХ

Как совершенствуются духовные лидеры, и что приводит их к успешности

Йоханнес Юстус

Перевод с немецкого

Johannes Justus

VON SACKGASSEN UND KÖNIGSWEGEN

© 2022 Авторское право Форума «Теология & Община» (FthG) Союза СПЦГ (BFP KdöR, Erzhausen)

ISBN печатного издания на немецком языке: 978-3-942001-85-4

ISBN электронной книги на немецком языке: 978-3-942001-41-0

Йоханнес Юстус (год рождения 1957) являлся президентом Союза свободных Пятидесятнических церквей (BFP) Германии с 2015 до 2022 г.г. В настоящее время он – старший пастор церкви «Элим» в Ганновере и председатель Elim Network. Многие христиане в мире ценят его знания и умение донести истину о Святом Духе. Самым большим пристрастием Йоханнеса Юстуса является содействие развитию церковных общин, как в Германии, так и во многих других странах, в частности, в Израиле. Особенное вдохновение он находит в том, как Дух Святой созидает церковные общины.

1-е издание 2023 г.

Юстус, Йоханнес

О тупиках и царских дорогах. / Пер. с нем., 2023.

ISBN печатного издания на русском языке: 978-3-9825978-2-9

ISBN электронной книги на русском языке: 978-3-9825978-3-6

Дизайн обложки: Даниель Юстус

Компьютерная верстка: Ирена Вик

Переводчик: Ирена Вик

Редактор: Анна Волкова

Elim Network e.V. Lehrter Straße 16, c/o Justus 30559 Hannover

info@elim-network.de • www.elim-network.de

Оглавление

Слова признательности

Я благодарю пастора Даниеля Юстуса, который, взяв все мои разработки, тексты, заметки и идеи, придал им форму. Спасибо за твое дерзновение подвергать сомнению некоторые вещи и показывать иные точки зрения.

Моя благодарность и пастору Альберту Штайну, который меня поддерживал и дополнял на протяжении всей работы над книгой. Это оказало большое влияние на нее.

Большое спасибо моей любимой жене Ирене, которая поддерживала меня. Во время написания этой книги ей приходилось часто обходиться без меня. Ты решила укреплять меня, а не ослаблять. И когда я уставал, ты ободряла меня. Когда я переставал видеть смысл в этом труде, ты напоминала о вкладе в будущее. Благодарю тебя от всей души. Я люблю тебя и твое доброе сердце.

Я благодарен своей лидерской команде. Я многому учился у них теоретически, и имел возможность применять навыки лидера с ними на практике. Спасибо за ваше терпение ко мне и ваш вклад в мое развитие. Меня восхищала возможность быть рядом с с целеустремленными людьми, прилагающими совместные усилия к достижению цели.

Я посвящаю эту книгу всем, кто заинтересован в самосовершенствовании, и тем, кто вносит особый вклад в становление людей и процессы развития Церкви Иисуса.

Я хочу вас пригласить в путешествие по пути совершенствования. Меня восхищает разнообразие людей и их вклад в общее благополучие. Как прекрасно и освобождающе осознавать, что в Царстве Божьем нет конкуренции. Это тот самый случай, когда каждый живет тем, что ему подарено.

Предисловие

Божья благодать раскрывается в даруемой не по заслугам Божьей силе, и это неоспоримо. А возрастание в благодати требует гораздо большего участия с нашей стороны, нежели ее получение. В своей первой книге «Воспламеняющая благодать», в которой я описываю благодать как действенную силу Бога, я прихожу к выводу, что в благодати можно расти. Однако мои рассуждения об этом были столь краткими, что у меня сложилось впечатление, что я все еще что-то должен моим читателям. Это стало одной из причин, подвигнувших меня к работе над этой книгой.

Практически всю свою жизнь я веду за собой людей. Впервые я столкнулся с вопросом лидерства, еще учась в четвертом классе школы. Тогда мой классный руководитель написал моим родителям, что «другие дети слушают меня и идут за мной, потому что я в них верю». В тот день я усвоил важный урок: не безупречные техники и принципы ведут к тому, чтобы люди следовали за кем-то, а нечто внутри их личности побуждает к этому.

Тем не менее, как пастор, я совершил немало ошибок в этой области, таким образом научившись многому. Не столь трагично совершать ошибки, хуже совершать одни и те же, ничему не учась. Бывало, что я падал очень глубоко, но был вынужден вставать и продолжать свой путь. Поскольку мне всегда было важным служить Христу и Его Церкви, то мне не оставалось другого выбора. Именно мои неудачи побудили меня к тому, чтобы на протяжении десятилетий заниматься темой лидерства и руководства людьми, изучая ее с научной точки зрения, чтобы лучше понять и самого себя, и своих близких, передавая свои знания другим.

В результате этого меня стали часто приглашать в различные церковные общины с просьбой выступить с этой темой. В последние годы окружающие меня люди все чаще и чаще стали мне говорить о том, что надо бы мне записать приобретенные знания, откровения и опыт. Таким образом, настоящая книга родилась в значительной степени из моих лекций и семинаров.

В отличие от большей части литературы о лидерстве, я занимаюсь не столько методами или инструментами для лидеров, сколько личностным развитием и совершенствованием характера лидера, поскольку считаю, что это имеет гораздо большее значение. Следующее высказывание немецкого писателя Фридриха Хеббеля в какой-то момент стало моим собственным девизом: «Человек — не жертва, а со-делатель своей жизни».

Поскольку я знаком с современной академической литературой по лидерству, в том числе и многочисленными христианскими трудами на эту тему, я уверен, что написал не совершенно новую книгу, а лишь внес важный вклад в уже существующую литературу.

Однако эта книга все же не просто книга для состоявшихся или будущих лидеров. Я специализируюсь на совершенствовании качеств лидера и поэтому любой, кто занимает руководящую должность, получит большую пользу от прочтения этой работы. А поскольку я, будучи пастором, долгое время был душепопечителем, консультантом и наставником, то считаю, что не меньшую пользу из книги извлекут также и те, кто не стремится и не занимает никакой руководящей позиции, ведь это книга для всех, кто хочет работать над совершенствованием себя и своим развитием.

Ганновер, лето 2022
Йоханнес Юстус

Обращение к читателю

Сегодня христианский рынок переполнен литературой разной тематики. И тем не менее, я назову четыре причины, почему я рекомендую прочитать книгу Йоханнеса Юстуса.

Во-первых, это многолетний, успешный опыт служения в роли президента Союза свободных пятидесятнических церквей Германии, насчитывающего сегодня 900 общин и существующего в Германии еще с начала XX века. Уже сама история избрания на этот пост человека, хоть и имеющего немецкие корни, но рожденного в Казахстане, является ярким свидетельством Божьего водительства и призвания в его жизни.

Во-вторых, несмотря на свое почетное положение, Йоханнес предельно откровенен в своих воспоминаниях. Он без малейшего смущения рассказывает не только о победах, но и поражениях, а главное, выводах, сделанных в результате допущенных им ошибок, что вызывает особое доверие к его напутствиям и советам.

Третья причина, по которой я нахожу ценной эту книгу, состоит в том, что автор поднимает одну из наиболее деликатных и мало обсуждаемых тем, – передачу эстафеты служения своему преемнику.

И, наконец, четвертая причина, это способность автора видеть в Священных Писаниях духовные закономерности и проводить параллели с настоящим временем. Это глубокая духовная аналитика и умение излагать вечные истины применительно к нашему времени и обстоятельствам.

Руководитель служения ASIM,
Александр Шевченко

Йоханнес Юстус является моим наставником и другом уже в течении двадцати лет. Каждая его книга является классическим учебным пособием для служителей церкви. Эта книга не стала исключением.

Взгляд Йоханнеса на служение Богу – это цепь тактических и стратегических шагов при содействии Святого Духа. Его видение и методы руководства являются источником вдохновения и мудрости для каждого пастора и лидера в Теле Христовом.

Зная Йоханнеса Юстуса лично, общаясь с ним многие годы, я могу с уверенностью сказать, что он сам активно использует в жизни то, о чём пишет в своей книге «О тупиках и царских дорогах».

Необычный взгляд на жизнь Моисея, Иосифа, личное свидетельство, чёткое описание принципов служения в современной церкви – это то, что притягивает в этой книге.

Наставническое служение Йоханнеса Юстуса кардинально повлияло и продолжает влиять на меня лично и на многих пасторов по всему миру. Именно поэтому, я настоятельно рекомендую прочитать эту книгу всем, кто хочет быть по-настоящему успешным и плодотворным служителем Божьим.

Элиэзер Музыченко
Епископ Ассоциации Независимых Церквей Израиля
Старший пастор церквей «Дом Света», Израиль

Очень глубоко и практично! Эта книга которую должен прочитать каждый лидер, желающий строить свое служение в долгосрочной перспективе. Йоханнес Юстус исследует тему лидерства с особым акцентом на ценности долгосрочного влияния, которое становится видимым спустя многие годы. Автор потрясающе сочетает теоретические исследования с богатым практическим опытом в служении, что делает книгу ценным ресурсом для всех, кто стремится стать эффективным лидером. Эта книга может принести множество пользы каждому, кто стремится развивать свои лидерские навыки. Она предлагает глубокое понимание и практические инструменты, которые помогут лидерам достичь долгосрочного успеха и увидеть плоды своей работы спустя многие годы.

Иван Крюков,
старший пастор Almaty Church Kazakhstan
и движения церквей «Новая Жизнь»

Дорогой читатель, прочитав книгу Йоханнеса Юстуса «О тупиках и царских дорогах», я могу ее рекомендовать каждому, кто хочет посвятить свою жизнь Богу. Встречаясь на ее страницах с Иосифом, Иисусом Навином, да и другими героями веры, можно понять те процессы, которые может проходить тот человек, который желает вести богоугодную жизнь, понимать, что нравится Богу, анализируя свою жизнь. Особенно такая книга нужна лидерам, потому что тот, кто берет на себя ответственность за других нуждается как в примерах, так и в руке поддержки со стороны тех, кто уже шел путем веры, а Йоханнес – один из тех, кто пишет не теоретически, а исходя из своего личного опыта.

Юрий Бруннер,
пастор церкви «Источник жизни»,
г.Франкфурт, Германия.

Кто знает Йоханнеса Юстуса лично, тот со стопроцентной уверенностью сразу скажет, что лежит у него на сердце, – лидерство. И он доказал это на практике, будучи десять лет руководителем Союза свободных пятидесятнических церквей Германии. И вот сейчас весь колоссальный личный опыт он изложил в своей книге.

Читатель, который видит в оглавлении такие слова, как «пять этапов», может подумать, что здесь вновь описаны некие популистские «шаги», «принципы», «этапы», «секреты» и т.д., которые кочуют из одной лидерской книги в другую.

Но Йоханнес позитивно удивляет совершенно новым подходом. Он сумел мастерски сочетать в этой книге библейские принципы, личный опыт и современную литературу о лидерстве.

На примере двух ярких лидеров Ветхого Завета – Иосифа и Иисуса Навина – он показывает нам фазы совершенствования лидера и не скрывает характерные черты и изъяны духовных руководителей. В конце каждой главы автор даёт возможность задуматься, проанализировать, предлагая «Вопросы для личного размышления».

Без сомнения, богатейший собственный опыт, библейский анализ и обзор современной литературы помогут современным лидерам стать лучше, усовершенствовать свои лидерские качества и быть более продуктивными в своём труде на ниве Божьей.

Доктор богословия Лео Франк

Всю мою христианскую жизнь Господь позволяет мне встречать на моем пути великих служителей Царства Божьего, служить им и с ними на одном поприще, к таковым я отношу и Йоханнеса Юстуса, которого знаю на протяжении долгих лет. Когда мне довелось впервые услышать его, то он сразу же заставил меня задуматься, сказав: «Я – не раб рабов». Тогда я понял, что я еще увижу то, как Господь проявит Себя через этого сильного человека. Сейчас в ваших руках книга о царских дорогах и тупиковых ситуациях, по которым Господь ведет, выводит и поднимает в течение жизни служителей Своих, а кого-то Он предупреждает и низвергает с их горделивых позиций, оставляя в тупике их собственных амбиций, если они вовремя не останавливаются. Читая эту книгу, я проникся глубиной отношений с Господом и откровениями, которые Он дает автору. На просторах земной жизни нам нужно успеть еще много сделать для Господа Иисуса, и эта книга поможет тебе, став путеводителем для смиренного и верного служения Иисусу Христу.

С уважением и почтением к автору и читателю,
пастор Виктор Шмидт,
Internationale christliche Gemeinde
«Neues Leben», г.Ахен, Германия

Часть 1:
Иосиф.
Развитие личности

Личность Иосифа, сына Иакова из истории праотцов Книги Бытия (Быт., главы 37-50), занимала меня на протяжении многих лет моей жизни, и я могу с чистой совестью сказать, что его биография тесно переплетается с моей собственной. Как и у Иосифа, у меня было много братьев и сестер, и мне приходилось находить свое место в большой семье. Нельзя сказать, что я был любимчиком у своего отца, как Иосиф, но мои родители часто говорили мне, что я был образцовым ребенком, чем выделялся среди братьев и сестер. Также меня не предавали мои братья, как был предан своими Иосиф, но в отношениях с ними я во многом отождествлял себя с ним. Я был пятым из одиннадцати детей, и рос в бедных условиях. Мои родители редко бывали дома, потому что должны были много работать, чтобы обеспечивать семью. Кроме того мой отец будучи пастором на добровольных началах посвящал себя церковной общине. Потасовки, физические травмы и несправедливое отношение были большой частью распорядка дня у нас дома. Мои братья и сестры обижали меня довольно часто, да и я не реже вел себя неподобающим образом по отношению к ним.

В любом случае, мне пришлось рано научиться отстаивать свои права и стоять на своем среди моих братьев и сестер. Мы учились выстраивать границы в отношениях друг у друга. Для меня этот опыт стал важными уроками, которые помогли мне в дальнейшей жизни, чтобы найти себя в обществе, в том числе стоять за себя и за свою веру, одновременно осознавая нужды других и откликаясь на них. В этом я тоже походил на Иосифа. Конфликты с братьями стали шагами на пути его взросления. Взросление в большой семье часто сопровождается борьбой за место под солнцем, а значит как разочарованиями, так и радостью примирения. Это связывало меня особенно с Иосифом, и было главной причиной, почему я часто думал о нем.

Но даже если не брать во внимание мою собственную биографию и отождествление себя с Иосифом, меня, тем не менее, очень впечатляет его история. То, как он решал проблемы, с которыми сталкивался, вызывает восхищение. Какими бы безвыходными не были ситуации в его жизни, он извлекал из них максимальную пользу, не позволяя обстоятельствам взять над собой верх. Иосиф не потерял веры в Божьи обетования, поддерживая самого себя и свою веру.

История Иосифа – это по своей сути история восхождения и совершенствования. Современная педагогика в значительной степени подтверждает, что человек может активно содействовать своему становлению. Можно сказать, что человек конструирует самостоятельно свою биографию, развиваясь и совершенствуясь. Естественно, такие внешние факторы, как родительский дом, окружение, состоящее из родственников, друзей и школы, а также средства массовой информации, включая социальные сети, или церковная община вносят значительный вклад в развитие личности. Люди социализируются через все общественные связи и институты. Однако те отпечатки, которые накладываются ими, не определяют судьбу человеческой личности. Многие люди считают, что могут объяснить свою жизнь с оглядкой на родительский дом, но всегда находятся примеры, заставляющие сомневаться в таком мышлении. Братья и сестры из той же семьи и с похожими генетическими предрасположенностями развиваются часто отлично друг от друга на протяжении всей своей жизни. Потому нам стоит исходить из того, что у людей есть определенная свобода активно влиять на собственное развитие. Иосиф является подтверждающим примером. Мы еще увидим, насколько отличалось его становление от становления его братьев благодаря его личным решениям. Иосиф всегда активно влиял на собственное окружение, и он не позволял ему определять, кто он есть.

История Иосифа – это древнее повествование, которое никогда не теряло свою актуальность, восхищая людей и до сего дня. Чем же оно так притягивает? Наверняка, большинству из нас те или иные элементы рассказа могут показаться даже знакомыми определенным образом. Например, когда речь заходит о ребенке, которого отец любит больше, чем других детей. Этот ребенок верит, что предназначен для чего-то большего. Или когда читатель сталкивается с конфликтом между братьями, который перерастает в откровенную ненависть, и у братьев появляется желание избавиться от одного из них любой ценой. Здесь и история о безответной любви. В истории Иосифа мы сталкиваемся как с социальными конфликтами, так и с глубоким кризисом, связанным с новыми начинаниями среди чужого народа, в чужой стране. Мы также находим и историю восхождения после глубокого падения. С основными мотивами повествования людям приходится иметь дело постоянно, сталкиваясь с похожими ситуациями почти ежедневно. Поэтому фигура Иосифа знакома и мне, и многим другим людям, и она становится ценным примером для подражания в биографиях многих людей.

Я выделил в биографии Иосифа, как мне кажется, четкие фазы развития, которые можно увидеть в жизни каждого человека, занимающего руководящую позицию, а также того, кто осознанно желает совершенствоваться. С этими фазами развития сталкиваются лишь те, кто стремится к прогрессу в своем становлении. У людей, которые ищут стабильности и безопасности, такие фазы обычно отсутствуют. Более развернуто я прокомментирую это позже еще раз.

По этим причинам я использовал историю Иосифа, чтобы проиллюстрировать пять фаз развития и последующего совершенствования лидера. Однако вступительную главу я хотел бы посвятить сути этих этапов, прежде чем приступлю к более подробному объяснению на примере истории Иосифа.

1. Пять регулярно повторяющихся этапов развития

Педагогические исследования доказали, что развитие, а затем и совершенствование личности происходят поэтапно или ступенчато. Это означает, что конкретные этапы можно четко отличать друг от друга. Несмотря на то, что может показаться иначе, но их нельзя охарактеризовать как непрерывные поступательные движения. Они не идут постоянно по прямой линии вверх. На определенных отрезках жизненного пути развитие человека происходит медленно или фактически замирает, в то время как на иных этапах почти мчится. Часто периоды спада вообще воспринимаются как стагнация или неудачи, хотя именно они необходимы для дальнейшего совершенствования.

За время моего служения пастором, учителем и наставником я неоднократно наблюдал подобные этапы развития лидера. Я не претендую на доказанность и научность, однако большинство смогут узнать себя в описанных мною этапах. Я убежден, что каждый лидер на пути своего призвания проходит пять этапов, которые последовательно и периодически повторяются после завершения цикла. Эти этапы можно было бы разделить на еще более меньшие фазы, но для упрощения я остановлюсь на этом делении.

Моя модель развития кому-то может показаться знакомой, поскольку она не является новой. Меня вдохновлял в частности американский специалист в области психологии развития – Роберт Киган, который вслед за Жаном Пиаже и Лоуренсом Кольбергом объясняет, «как мы становимся теми, кто мы есть». Как и Киган я исхожу из того, что человек совершенствуется в течение всей своей жизни, хотя должен подчеркнуть, что мои размышления и отдаленно не сравнимы с очень сложными исследованиями Кигана. Прежде всего мои идеи основаны не на статистических исследованиях, а на попытке объединить результаты исследований и церковную практику.

ПЯТЬ ЭТАПОВ

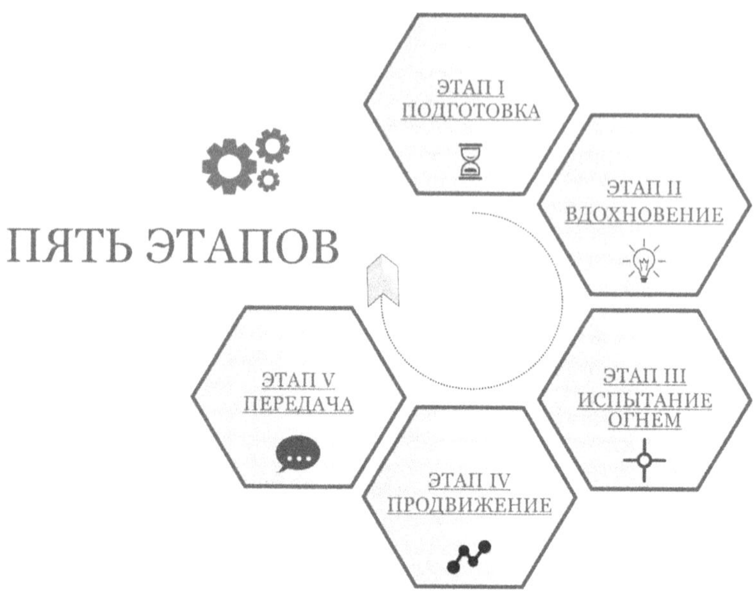

ИЗОБРАЖЕНИЕ 1. Спираль развития сверху

Отдельные этапы можно понимать как своего рода медленное восхождение человека в своем совершенствовании. Таким образом изображение 1 представляет собой взгляд на «Спираль развития» с высоты птичьего полета. Спираль развития демонстрирует совершенствование человека с его взлетами и падениями. Чтобы это совершенствование произошло, человеку необходимо пройти и завершить все этапы. Можно сказать, что эти этапы взаимосвязаны. Каждый из них является своего рода подготовкой к следующему этапу. Поэтому на каждом этапе существует опасность замедлить или остановить свое развитие и начать снова с первой стадии. Так, некоторые застревают на стадии вдохновения, поскольку они только мечтают, так никогда и не попытавшись, воплотить свои мечты в жизнь. С особым нежеланием люди проходят этап «испытания огнем», так как его тяжело преодолеть. Но, как мы увидим, именно этот этап особенно важен на пути совершенствования.

Этап продвижения несет в себе опасность остановиться в зените успеха, следствием чего становится потеря предыдущих успехов. Потому переход в следующий этап сопровождается тем, что необходимо оставить прежнее и известное и шагнуть в поезд, ведущий в новое и неизвестное. По моему опыту прохождение всех пяти этапов одного цикла длится около семи лет, затем начинается новый цикл. Это мое собственное наблюдение и, естественно, эта цифра является лишь средним значением. В отдельных конкретных случаях прохождение всех пяти этапов может как растянуться во времени, так и сократиться. Чтобы не застрять на каком-то из этапов, имеет смысл ограничивать по возможности время на принятие решения. В первую очередь это касается работы и служения, в меньшей степени – личной жизни.

При прохождении каждого этапа может помочь известная фраза датского философа Сёрена Кьеркегора: «Жизнь можно прожить лишь вперед, а понять ее лишь оглянувшись назад.»

Сначала нужно завершить этап, чтобы понять в чем была его польза, и в чем был смысл. А иногда мы сможем правильно интерпретировать прошедшие события лишь спустя довольно много времени.

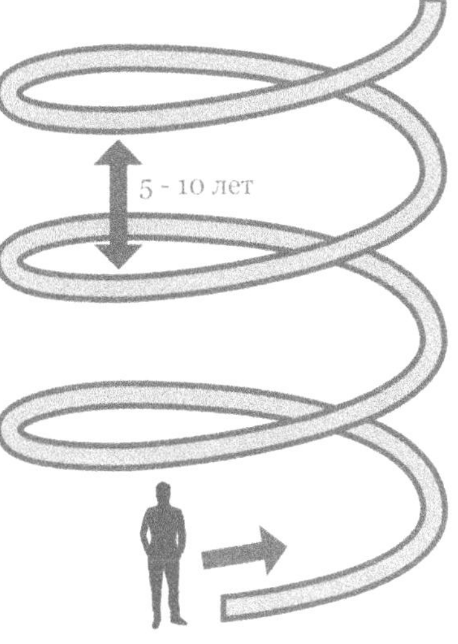

ИЗОБРАЖЕНИЕ 2 Спираль развития сбоку

2 Этап первый: Подготовка

2.1 Отрочество Иосифа

Когда читатель впервые встречается с Иосифом в 37-й главе Книги Бытия, то тот уже к тому времени – юный пастух в возрасте 17 лет. Его семья вела скромную жизнь кочевников, разводивших мелкий рогатый скот. В этом возрасте он еще не считался взрослым мужчиной и должен был выполнять соответствующие поручения по хозяйству. Он описан как помощник пастуха (37:2) – занятие, которое не выглядит слишком сложным. Читатель даже не догадывается о великом будущем, ожидающем Иосифа. Как любые скотоводы-кочевники, большая семья Иосифа пасли свой скот на окраинах густонаселенных районов и в горах.

Хотя израильские скотоводы не пользовались особым уважением в высокой культуре Египта, это не означало, что Иосиф рос совершенно необразованным. Будучи любимчиком своего отца он, несомненно, получил хорошее образование, и его отец, безусловно, придавал большое значение тому, чтобы его сын приобрел определенные навыки ведения кочевого хозяйства. По крайней мере, когда нам встречается Иосиф вскоре после того, как он был продан в Египет, то он уже является мудрым управляющим в доме Потифара, умеющим читать, писать и считать.

И все же в первых стихах повествования он кажется еще совершенно незрелым. А его поведение лишь обостряет отношение к нему его братьев. Он был, похоже, своего рода осведомителем у отца, поскольку мы читаем, что «доводил Иосиф худые о них слухи до отца их» (37:2). И братья точно не воспринимали его как примерного мальчика, он был в их глазах скорее просто ябедой.

Однако не только поведение самого Иосифа осложняло отношение братьев к нему, но и особое расположение к нему отца (37:3). У его отца Иакова были две жены – Лия и Рахиль, а также их служанки Зелфа и Валла, как наложницы (30:4, 9). Однако на Древнем Востоке наложницы занимали более низкое положение, чем жены.

Поэтому не удивительно, что Иосиф был любимцем своего отца, ведь, в конце концов, он был первенцем желанной жены Рахили. Тот факт, что Иосиф, а потом и Вениамин, родились, когда Иаков был в преклонном возрасте, конечно, тоже был причиной особого расположения к Иосифу (Быт. 37:3), но не главной.

Ситуацию усугубило и то, что Иаков подарил своему сыну Иосифу «разноцветную одежду». Мы не знаем, была ли эта одежда какой-то специальной и праздничной. Но, видимо, не каждый из сыновей получал что-то подобное, и этот жест лишь подчеркнул предпочтение Иосифа другим братьям. То, что братья уже и так предполагали или чувствовали, им пришлось увидеть явно своими собственными глазами. Результатом этого стало то, что они больше «не могли говорить с ним дружелюбно» (37:4).

Одежда Иосифа еще сыграет свою роль в дальнейшем повествовании. Подобно тому, как братья сорвали с него разноцветную одежду, так и жена Потифара в своей страсти сорвала одежду с Иосифа. И снова одежда стала для него погибелью. А в конце повествования Иосиф подарил каждому из братьев одежду в знак примирения. Возможно, это была компенсация за несправедливость, допущенную его отцом по отношению к другим сыновьям тем подарком в виде «разноцветной одежды»? Но стоит помнить, что младшему брату Вениамину Иосиф подарил «пять перемен одежды» (Быт. 45:22). Однако его великодушие не исключает его сожаления. Этот момент повествования напоминает более позднюю притчу о блудном сыне и любящем их отце (Лк. 15:11-32), который не колеблясь, проявляет щедрость (ст. 32).

2.2 Учеба длиною в жизнь

В истории Иосифа очень хорошо видно, что он был всегда готов совершенствоваться и учиться. Хотя прямо об этом нигде не говорится, но это очевидно для читателя, поскольку Иосиф освоил важные ступени развития, как позднее мы рассмотрим подробнее. Без его готовности к переменам преодолевать их было бы невозможно. Эта готовность характеризует этап подготовки. Кто хочет, чтобы его мечты однажды исполнились, должен быть готов к постоянному совершенствованию. В противном случае восхождение человека на следующий более высокий этап развития невозможно.

> *Кто в жизни устроился, тому и стремиться больше не к чему.*

Неизвестный автор

Этой цитатой я хотел бы подчеркнуть предыдущие мысли. Когда люди отходят от дел и довольствуются уже достигнутым, то они не пытаются добиваться в жизни еще чего-либо.

Существует немало моих коллег-пасторов, переживших этот болезненный опыт. Почему он болезненный? Жизнь течет своим чередом, и люди, и обстоятельства вокруг нас постоянно меняются. Руководящие личности, считающие, что они «достигли цели», «добились успеха», перестают работать как над собой, так и над своими способностями, и над своим образованием. Следствием этого становится то, что в какой-то момент люди перестают за ними следовать, потому что лидер более не производит впечатление способного вести «к новым берегам» или «к познанию Иисуса Христа». Их стиль проповеди остается неизменным, как и богословское содержание. Их методы и инструменты исчерпали себя, и члены церкви уже не ожидают развития общины. В результате, самые смелые и инициативные личности уходят из общины, а с ними остаются те «верные», кто так же держится за известное и привычное. В некоторых случаях отношения лидеров с окружающими изживают себя. В этом нет ничего трагического, и, безусловно, может произойти в межличностном сотрудничестве. Именно потому во многих церквях существует требование о регулярной смене занимаемых позиций.

Если же церковная община движется именно таким образом, то в ней начинается упадок. И если руководителю с его командой не удается добиться нового подъема, то наступает медленное умирание церковной общины. Это очень болезненно для всех участников процесса, поскольку недостает все больше и больше сотрудников, нагрузка служений перекладывается на отдельных людей, а о былых временах остается только скорбеть. Если же руководителя или пастора не освободили от должности до этого, то именно на этом этапе с ним расстаются чаще всего, будь то церковный совет или вышестоящий орган. Иногда это происходит гладко, но часто его буквально прогоняют со двора.

К сожалению, я не один раз сталкивался с такими личностями, которые ни при каких условиях не уходили сами, оставаясь на своем посту пока община полностью не распадалась. И когда такое происходит, то доверие к подобному руководителю полностью исчезает, и никто не хочет снова возлагать на него ответственность за управление общиной. В какой-то момент у всех, кто так или иначе соприкасался с происходящим, возникает вопрос «почему». В чем причина? «Возможно, он не был призван или был недостаточно одарен?» Большинство задают эти вопросы вслух. Однако исходя из моего опыта причина в том, что во многих случаях руководители, о которых идет речь, просто остановились в своем совершенствовании. И на мой взгляд – это одна из самых больших опасностей руководящей личности.

Как-то после одной из моих лекций ко мне подошел один из лидеров. Он сказал, что не услышал в моем выступлении ничего нового. Да и вообще, как правило, он слышит мало нового на лекциях. Мне пришлось ему объяснить, что часто знание становится самым большим препятствием на пути личного совершенствования. Вернее сказать, часто человек лишь предполагает, что много знает, однако я не стал ему так говорить. Он, конечно же, переспросил, что я имею ввиду. Я посоветовал ему, не столько сравнивать услышанное на лекциях с тем, что он уже знает, сколько с тем – применяет ли он услышанное на практике. Люди, которые считают, что уже все это слышали, обычно останавливаются в своем развитии. В конце концов, они думают, что знают невероятно много, но жизнь не стоит на месте, а меняется с бешеной скоростью. То, что вчера казалось неоспоримым, завтра может оказаться устаревшим.

Стадию подготовки следует понимать не только как временное положение, но как нечто постоянное. На определенных этапах жизни эта стадия выступает на передний план, однако готовность к обучению не должна ослабевать в течение всей жизни. Римский философ Сенека оставил нам следующее высказывание о мудрости:

> *Кто ищет мудрости – мудрец, кто думает,*
> *что нашел ее, тот – глупец.*

Это можно сравнить и с личностным развитием человека. Тот, кто считает, что завершил его, тот глубоко заблуждается, потому что завершить совершенствование невозможно.

Там, откуда я родом, возраст обычно приводился в качестве оправдания или причины неспособности учиться новому или принимать новые вызовы. Однако современная наука учит, что когнитивные ресурсы сложны и не могут полностью исчезнуть.

Теория интеллекта Раймонда Кэттела выделяет две составляющие интеллекта человека. С одной стороны – это «флюидный/подвижный интеллект» (*fluide Intelligenz*), а с другой – «кристаллизованный интеллект» (*kristalline Intelligenz*).

Подвижный интеллект охватывает основные способности мозга, такие как логическое и аналитическое мышление, а также основные процессы обработки информации. О нем идет речь, когда мы говорим о способности и скорости схватывать информацию. На рисунке ниже показано, что подвижный интеллект неуклонно снижается в течение всей жизни, начиная со среднего

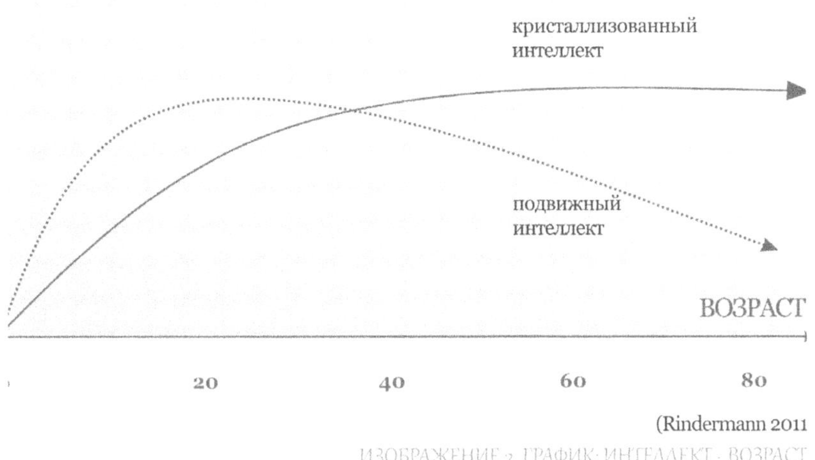

(Rindermann 2011

ИЗОБРАЖЕНИЕ 3. ГРАФИК: ИНТЕЛЛЕКТ · ВОЗРАСТ

возраста. Теоретически, обучение и мышление требуют с возрастом больше времени.

Кристаллизованный интеллект в свою очередь включает в себя знания, которые человек приобретает в течение всей своей жизни. К этому относятся, например, изученный язык, общее образование или приобретенные навыки, профессиональные знания. В отличие от подвижного интеллекта, кристаллизованный интеллект не испытывает снижения в течение жизни. Он может оставаться стабильным до глубокой старости. Именно поэтому его иногда называют «мудростью старости». Он растет по мере приобретения новых знаний и опыта.

Оба этих компонента интеллекта невозможно рассматривать отдельно друг от друга. Они переплетаются и оказывают взаимное влияние друг на друга. Это означает, что дефицит подвижного интеллекта в пожилом возрасте может быть компенсирован кристаллизованным интеллектом. Поэтому когнитивные способности могут оставаться выше среднего до самой старости, а человек может долгое время иметь хороший уровень общего интеллектуального развития.

Конечно, я должен упомянуть, что согласно новейшим исследованиям мозг можно тренировать подобно мышцам. Таким образом, вы сами влияете на то, в каком состоянии находятся с возрастом ваши когнитивные способности. Это подтверждают многочисленные исследования. Еще в 90-х годах прошлого века исследователями был реконструирован мозг однояйцевых близнецов. Ожидалось, что между ними будет большое сходство. Однако выяснилось, что они существенно отличались друг от друга, несмотря на то, что их можно было бы назвать генетическими клонами, да и практически они росли в одинаковых условиях. Следовательно, причины различий должны были находиться не в генетической природе. Новейшие исследования смогли подтвердить этот вывод, и в настоящее время ученые соглашаются, что мозг можно формировать, и он «пластичен». Подобную анатомическую податливость мозга называют «нейропластичностью». Мозг способен достаточно просто адаптироваться. Он может словно мышца набирать массу и терять ее при меньшей активности. Мозг одного отличается от мозга другого, это делает каждого человека уникальным. Однако гораздо важнее не забывать о том, что мозг не является чем-то статичным и неизменяемым. Как и все остальное тело, его можно тренировать, чтобы он работал на более высоком уровне.

Поэтому так важно продолжать совершенствоваться и развиваться на протяжении всей своей жизни, чтобы человек мог быть активным участником жизненных событий. Несмотря на процессы старения собственное состояние человека остается в его руках, и он может использовать его наилучшим образом.

? Вопросы для личного размышления

1. Решил ли Ты уже отдохнуть в области образования, развития и совершенствования личности?
2. Какие аргументы у Тебя есть, чтобы объяснять, почему Ты не можешь больше развиваться и совершенствоваться?
3. На какой стадии Ты сейчас находишься?
4. Что мешает Тебе перейти на следующий этап?

3 Этап второй: Вдохновение

3.1 Сны Иосифа

Отношения Иосифа с братьями были уже и так достаточно холодными, когда он рассказал им о своих снах (Быт. 37:6-10). Каждый читатель, наверное, задается вопросом, что побуждало Иосифа рассказывать братьям о них. Был ли он тогда просто наивным или дерзким? Четкого ответа читатель не находит. Для автора же, по-видимому, большое значение имеет именно содержание этих снов.

В первом сне Иосиф увидел себя и своих братьев, связывающими снопы. Сноп Иосифа поднялся и распрямился посреди других снопов, которые поклонились снопу Иосифа. Братья быстро уловили смысл сна: сон символизировал превосходство Иосифа над ними.

Второй сон был продолжением первого, и лишь усиливал его смысл. В нем Иосиф увидел себя среди небесных светил, и ему поклонились солнце, луна и одиннадцать звезд. В этом сне небесные тела олицетворяли собой семейную вселенную. Солнце представляло собой отца – главу семьи. Луна означала мать, а звезды – братьев, что было понятно и из их количества, ведь у него было одиннадцать братьев. Даже отцу было не по себе от такой наивности или самонадеянности, и он упрекнул своего сына, серьезно ли он верит, что вся семья склонится перед ним. Однако Иаков не отмахнулся от своих снов, как от чего-то абсурдного, а «навсегда остались в памяти его слова»[1]. Он, как и многие жителей Востока, не считал сны чем-то беспочвенным, и верил, что Бог может обращается к людям и во снах.

Сны стали последней каплей. И без того прохладные отношения Иосифа с его братьями, теперь казались непоправимо испорченны-

---

1 Отрывок процитирован по переводу под редакцией Кулаковых. В Синодальном переводе (Быт. 37:11) написано: «отец его заметил это слово». (Прим. переводчика).

ми. Именно в такой ситуации отец посылает своего любимого сына в одиночку к его братьям, с которыми они расстались вскоре после рассказа Иосифа о снах. Тогда как Иосиф остался с отцом в Хевроне, его братья отправились пасти скот за 100 км в Сихем. Туда и должен был отправиться Иосиф, чтобы убедиться в их благополучии (Быт. 37:12-14). Это путешествие может вызвать у читателя некоторое недоумение. О чем думал Иаков? Неужели он не мог предвидеть, что «благополучное» состояние других его сыновей будет сильно нарушено появлением «мечтателя»? Отец, так сильно любящий Иосифа, несомненно, должен был понимать, что отправляя своего сына в такое путешествие, он подвергает его опасности.

Когда Иосиф добрался до Сихема, то не мог сразу найти своих братьев. Какой-то незнакомец подошел к блуждающему в поле Иосифу (Быт. 37:15-17), и поведал ему, что слышал, как его братья собирались перебраться на 25 км севернее, в Дофан. Поразительно, что в этом кратком повествовании, без множества деталей и обстоятельств, вдруг упоминается незнакомец, направивший Иосифа к братьям. Возможно, это говорит о том, что Иосиф был приведен к своим братьям Самим Богом.

Когда Иосиф подходил к братьям, те заметили его издали, узнав по разноцветной одежде, и хладнокровно задумали его убить. Возможно, их замысел был в том, чтобы сны Иосифа не исполнились (Быт. 37:18-20). Ведь если бы они устранили главного героя снов, то его сны исчезли бы тоже. И эту новость отцу должен был бы тогда принести Рувим, поскольку он был старшим, а значит тем, кого, вероятно, призовут к ответу первым. Скорее всего, именно поэтому планы младших братьев были ему не по душе, и он пытался выиграть время. Рувим предложил бросить Иосифа в ров[2], вместо того, чтобы проливать его кровь. Как мы позже встречаем и у Иеремии, высохшие колодцы и рвы использовались часто как темницы для узников (Иер. 37:16). Однако настоящий план Рувима заключался

---

2 *Еврейское слово «בוֹר» переводится в том числе и в разных местах Синодального перевода как ров, яма, колодец, могила и водоем. (Прим. переводчика)*

в том, чтобы позже освободить Иосифа и вернуть его домой. Каким-то образом ему удалось убедить братьев. Они схватили Иосифа, сорвали с него его разноцветную одежду и бросили в ров, вероятно, бывший когда-то колодцем, а теперь высохший.

После этого они собрались на совместную трапезу, согнав вместе и свои стада (Быт. 37:25). Они вкушали пищу, тогда как их голодный младший брат сидел нагим в яме. Такое поведение содержало четкое послание: они отказывали ему не только в удовлетворении основных человеческих потребностей (одежде и пище), но и в общении за одним столом. Этим они недвусмысленно давали понять, что жизнь их младшего брата потеряла для них всякое значение. Выбраться самостоятельно из такого рва было невозможно из-за того, как он был сооружен. Он сужался к отверстию, и был прикрыт большим камнем.

Такое предательство, вероятно, нанесло Иосифу глубокие душевные раны. Я могу себе представить, что до сих пор ничего худшего в его жизни не случалось. В ров, куда его бросили, могли пробраться змеи и прочие существа, но не это было самым болезненным. Намного больше боли приносило неожиданное предательство братьев. Да и перспектива его собственного будущего изо рва совсем не выглядела радужной. Но и в этой ситуации Бог был с ним, что становится очевидным в ходе дальнейшего повествования.

Что же должно было дальше случится с Иосифом? В то время, как братья обсуждали его судьбу, решение появилось на горизонте в виде приближающегося каравана измаильтян, возивших различные товары в Египет. В голове одного из братьев, Иуды, мгновенно созрело выгодное предложение:

> *«...что пользы, если мы убьем брата нашего и скроем кровь его? Пойдем, продадим его Измаильтянам, а руки наши да не будут на нём, ибо он брат наш, плоть наша. Братья его послушались.»*

Быт. 37:26-27

Идея показалась братьям вполне разумной, но до того, как они вытащили Иосифа изо рва, там уже побывали мадиамские купцы, которые и продали Иосифа каравану измаильтян (Быт. 37:28-31). Рувим же хотел вернуть Иосифа отцу целым и невредимым, и он первым бросился ко рву, но не смог там найти Иосифа. Он был в большом смятении. Не сработали ни план Рувима, ни план Иуды. Иосиф пропал. И теперь нужно было придумать правдоподобную версию его исчезновения, которую можно было бы представить отцу. Они вспомнили о своей первоначальной идее, поведать отцу, что Иосифа должно быть съел хищный зверь (Быт. 37:20). Тогда они зарезали козла и испачкали его кровью одежду Иосифа. Одежда, которая прежде была предметом конфликта Иосифа с братьями, теперь стала ложным доказательством, предназначенным обмануть отца. В конце концов, они ее принесли отцу (Быт. 37:32-35). Когда Иаков увидел одежду, он был глубоко сокрушен, так как поверил, что Иосиф был убит дикими зверями, как братья и предполагали. Все попытки семьи утешить его не помогали. Он считал, что не сможет оправиться от случившегося, и проведет всю оставшуюся жизнь в трауре.

3.2 Перемещение в новый мир

То, что поначалу казалось Иосифу восхождением на семейную вершину или особым опытом самореализации, превратилось в глубокое падение. Воодушевленный Божьими обещаниями юный Иосиф фактически вырыл себе могилу. По крайней мере, так какое-то время выглядела ситуация, и так думали его братья, после того как он был продан чужеземцам. Для них Иосиф умер вместе со своими снами. Но не для Бога, как мы еще увидим. Такие болезненные переживания, которые пришлось испытать Иосифу, к сожалению, являются частью жизни. Но они не обязательно должны оставаться таковыми, потому что они делают нас стабильнее после того, как мы их преодолеваем. В ретроспективе они к тому же показывают, что Богу есть что сказать человеку о его жизненном пути и сделать его успешным, если человек Ему позволяет.

К сожалению, такой опыт не исключает и того, что вас снова предадут. Как и у Иосифа, в жизни каждого человека есть люди, которые, образно говоря, ведут себя подобно его братьям. Однако одновременно с этим существует и опасность, самому стать таким братом для кого-то другого. Ни в том, ни в другом нет ничего хорошего. Этот урок вы можете извлечь для себя из истории Иосифа.

Эта первая фаза жизни Иосифа, о которой нам рассказывают, с моей точки зрения характерна для второго этапа развития личности, предузнавшей или осознавшей Божьи планы о своей жизни. Этот этап я называю этапом увлеченности или вдохновения. Это творческий этап, на котором необходимы люди, которые верят в человека и сопровождают его, чтобы он не остался в мечтах, а перешел к действиям. Ведь Божьи обещания редко исполняются безо всякого действенного участия человека.

На этом этапе окружающие часто приравнивают бросающийся в глаза энтузиазм к незрелости. Приходится постоянно выслушивать подобные мудрые замечания: «Ты угомонишься, когда повзрослеешь», «Скоро сказка сказывается, да не скоро дело делается», «Всяк сверчок знай свой шесток», «Улетел мечтой в заоблачные дали». Такие высказывания сложно назвать конструктивными и полезными, но тем не менее они обязательно звучат.

Планы, которые человек строит для своей жизни, должны быть реалистичными, чего не скажешь о мечтах. Именно этого и не понимали братья Иосифа. К сожалению, Иосиф совершил целый ряд ошибок по отношению к своим братьям. В вертикальной плоскости, направленной к Богу, человеку позволительно мыслить и мечтать масштабно. Но это не относится к горизонтальной плоскости, направленной в отношении людей. Сами по себе сны Иосифа были чем-то позитивным, тогда как поведение Иосифа в и без того уже напряженной ситуации было неразумным.

К сожалению, довольно много молодых людей ведут себя на этом этапе так же, как Иосиф. В глазах окружающих они выглядят высокомерными и напыщенными. Поэтому необходимо дозировать свои мечты и мысли в присутствии других людей. Люди судят не так, как Бог. Бог в состоянии видеть не только настоящее положение дел, но и будущее. Поэтому Он относится к человеку не согласно фактическому на сегодня состоянию, а в соответствии с тем, как должно быть. Другие же могут видеть лишь статус-кво, по которому и будут оценивать человека.

Например, на исполнение Божьих обетований в отношении Иосифа понадобилось 13 лет. С точки зрения продолжительности жизни — это не так уж и много, но юный пастушок был так далек от этих обетований, что они казались невероятными для его братьев. Его семье было трудно понять, что он избран среди братьев, ведь в его окружении для этого не было никаких предпосылок. В отличие от Бога люди хотят видимого. Для них играют роль и возраст, и образование, и ученая степень, и социальное положение, и пол, и многое другое. Вот почему семья Иосифа — хороший образец ближних, с которыми сталкивается человек на этапе вдохновения.

На этапе увлеченности очень важно найти таких людей, которые в вас верят, и поговорить с ними о ваших мечтах и видениях. Из повествования нам не ясно, была ли у Иосифа такая поддержка в кругу его семьи. Судя по всему, даже если бы он более дели-

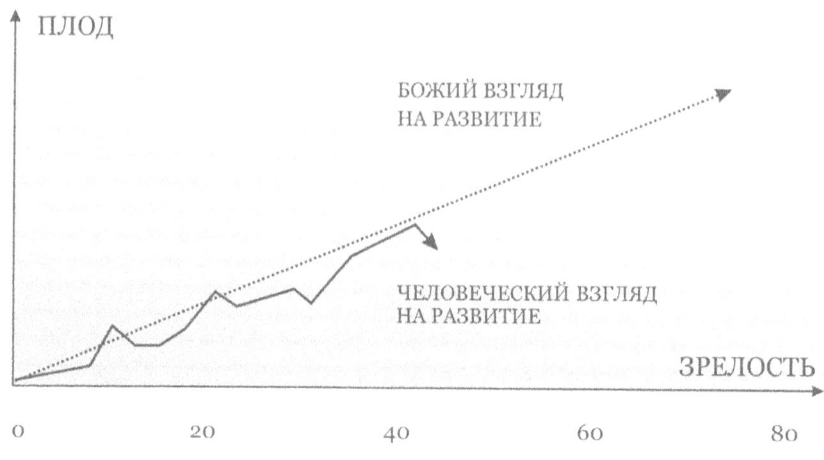

ИЗОБРАЖЕНИЕ 4 БОЖИЙ И ЧЕЛОВЕЧЕСКИЙ ВЗГЛЯДЫ НА РАЗВИТИЕ ЛИЧНОСТИ

катно делился своими мечтами, сомнительно, что смена его статуса по отношению к его братьям была бы легкой. Скорее всего, круг его семьи вряд ли бы способствовал его особому развитию, ведь его социализация происходила бы и дальше в скромном окружении пастухов.

Как я уже отмечал, в повествовании об Иосифе постоянно создается впечатление, что Бог непрерывно направляет жизненный путь Иосифа, несмотря на все неблагоприятные обстоятельства. Он допустил встречу Иосифа с братьями, приведшую к плохому для него исходу. Таким образом, мы видим, что Иосифу, возможно, пришлось покинуть свое окружение, чтобы его мечты могли исполниться. Новые обстоятельства заставили Иосифа покинуть его зону комфорта.

В своей предыдущей книге «Воспламеняющая благодать» я утверждал, что развитие и образование не происходят в удобных и безопасных условиях. Человек часто образовывается и совершенствуется в чуждой или незнакомой ему среде, что может приносить боль. Человека формирует новое и неизвестное, а не привычное и знакомое. У каждого из нас есть своя зона комфорта, внутри которой мы чувствуем себя в безопасности. Однако для дальнейшего развития придется пойти не самым удобным путем. Это требует смелости, но все же не стоит бросаться в омут с головой. Можно становиться немного смелее день за днем. К тому же следует помнить, что будущее и реализация собственного видения находятся все еще вдали, а до «нового мира» и будущей реальности сначала необходимо добраться. Как уже упоминалось, освоение нового мира происходит далеко не комфортно. Это мы можем видеть и в жизненном пути Иосифа. Как его жизнь – путешествие, требующее времени, так и совершенствование человека растянуто по времени. Но любое путешествие начинается с первого шага.

Этап вдохновения – это не просто стадия восхищения или воодушевления, это этап творческий, вот почему я использую термин «вдохновение» для его описания. Согласно опыту, мотивация не длится долго, тогда как вдохновение может протянуться сквозь всю жизнь. Вдохновение выдерживает любые жизненные невзгоды и дает поддержку. Мотивации необходима причина, мотив, заставляющие двигаться вперед. Вдохновение само рождает страстную увлеченность. И это больше, чем просто мотив. Я сравниваю вдохновение с внутренним стержнем энергии. Оно больше, чем желания эго. Это та внутренняя чувственная основа, побуждающая делать нечто великое и значительное. Особенно духовные

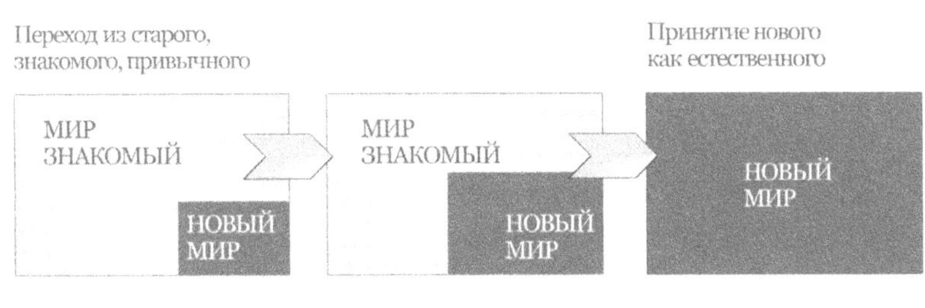

ИЗОБРАЖЕНИЕ 5 ЦИКЛ СОВЕРШЕНСТВОВАНИЯ

люди – это вдохновленные люди, потому что источник их вдохновения не от мира сего.

На этом этапе закладывается вера в Божьи возможности. Мышление преобразуется и обогащается. Горизонты расширяются, а жизнь человека приобретает новый смысл и новые перспективы. Тот, кто читал мою книгу «Воспламеняющая благодать», уже знает, что когда речь идет о Божьих возможностях, не всегда хорошо хотеть слишком многого. Без сомнения не следует и умалять в мыслях Божьи планы, но на этапе вдохновения люди склонны подчас свои собственные желания и стремления переносить на Божье видение. В своей предыдущей книге я подробно объяснял почему не так уж и хорошо хотеть слишком многого. Например, собственная успешность человека напрямую зависит от сотрудничества Бога с ним в его действиях. И если Бог не призывал человека к тому, к чему он так стремится, то человек может прилагать сколь угодно много усилий, однако ожидаемый успех не придет. Вместо этого он рискует довести себя до полного отчаяния.

Кроме этого следует упомянуть также о дарах, способностях и ограничениях. Они тоже играют значительную роль в достижении «нового мира». Павел называет их мерой благодати или веры (Еф. 4:7; Рим. 12:3).

Одним из главных факторов, стоящих на пути к новому миру, является зрелость характера. Поэтому и этап вдохновения является одновременно стадией начинающегося становления характера, как мы можем наблюдать у Иосифа. Вскоре после того, как он увидел Божье видение его жизни, последовало невероятное падение. Это падение было глубоким, а потому и очень болезненным. Однако ему необходимо было научиться принимать и такие этапы из рук Бога. В Божьих планах путь вверх часто начинается со ступеньки в самом низу. Этот путь, который сначала ведет вниз, в конце концов, приводит наверх. Иисусу тоже приходилось объяснять особо честолюбивым ученикам, что тот среди них, кто хочет стать великим, должен служить другим (Мк. 10:43).

Еще один отрывок, который стоит упомянуть, это 10-й стих, 4-й главы послания Иакова: «Смиритесь пред Господом, и вознесет вас». Иаков прибегает здесь к старому и широко распространенному мнению. По всей Библии упоминается, что Бог проводит людей через долины, чтобы в конечном счете возвысить их, а также о том, что состояние смирения является необходимым условием Божьего благословения (Иов 5:11, 22:29; Пр. 3:34; Иез. 17:24; Мф. 18:4, 23:12; Лк. 14:11; 1 Петра 5:6). По моему мнению, это возвышение не должно сводиться к будущей загробной жизни. В Библии мы видим его и в этом мире, и оно появляется снова и снова. В истории Иосифа мы можем проследить отчетливо эти точки падения и возвышения, через которые Бог его проводил.

ВОПРОСЫ ДЛЯ ЛИЧНОГО РАЗМЫШЛЕНИЯ

1. Жизнь постоянно ставит перед человеком новые обучающие задачи. Иногда их можно преодолеть только превозмогая боль. Готов ли Ты вступить на эту стезю?

2. Приходилось ли Тебе пережить откровение о Твоем будущем будучи вдохновленным Богом? Как выглядело это вдохновение?

3. Что дает Тебе уверенность в том, что это не Твои собственные желания и стремления?

4 Этап третий: Испытание огнем

4.1 Восхождение на чужбине и новое падение

Караван измаильтян доставил Иосифа в Египет, где он был продан высокопоставленному сановнику по имени Потифар (Быт. 37:36). Больших подробностей о занятиях Потифара и его должности читателю не открывается. В свои юные годы Иосиф должен был вжиться в полностью чуждую и новую для него культурную среду. Ему пришлось выучить новый язык и освоить новые навыки. Но несмотря на новые и поначалу непривычные для него обстоятельства, Иосиф был тем, кому «везло во всем». Однако не сам он был ответственен за свое счастье, а «был Господь с Иосифом» (Быт. 39:2). Яхве, Бог Израиля, сопровождал его и за пределами его страны, на территории чужих богов. То, что сегодня кажется само собой разумеющимся, отнюдь не было таким ясным при жизни Иосифа, да и в последующие века. Иосиф жил во времена политеизма, когда людям было свойственно считать, что бог их рода или племени обитал на определенной территории. Однако история Иосифа показывает очень четко, что ничто не может стоять на пути Яхве ни в какой, даже «чужой» стране. Это было очевидно в благословениях, исходящих от Иосифа.

Потифар не мог не видеть, что Иосиф был успешен во всем, ведь его дом явно стал процветать при Иосифе. Поэтому он решил, что неплохо бы повысить Иосифа в должности, и назначил его главой своего дома. Потифар столь много выигрывал от благословения Божьего, действовавшего через Иосифа, что не знал при нем никаких забот, кроме той, что выбрать себе поесть. Все в доме было под управлением Иосифа и, казалось, было в надежных руках (Быт. 39:3-6).

Так началось восхождение Иосифа, после того как он ранее пережил много боли и печали. Меня впечатляет в истории Иосифа то, что она не теряет связи с реальностью. Восхождение или карьера крайне редко бывает без взлетов и падений. Человеческое счастье никогда не бывает беспрерывным. Любому, кто оглянется на собственный жизненный путь, придется с этим согласиться. К сожалению, и Иосифу пришлось снова столкнуться с этим, уже после того, как он преодолел свои предыдущие страдания.

Иосиф был не только чрезвычайно успешным в том, что он делал, он и внешне был привлекательным молодым человеком (Быт. 39:6). Его хозяин видел в нем особо ценного слугу, а его жена – потенциального любовника. Она преследовала его и ежедневно говорила ему: «Спи со мной!» (Быт. 39:7, 12). Иосиф оставался непреклонным, но его отказы лишь пробуждали в ней все большую страсть. Однако для Иосифа было важным оставаться верным своему господину и своему Богу, поэтому он не мог позволить себе вступить с ней в какую-либо связь. И все же его усилия остались безрезультатными, а ее вожделение принесло ему неприятности. Однажды, когда в доме не было никого из домашних, жена Потифара перешла от слов к делу. Она схватила Иосифа за его одежду и потребовала, чтобы он переспал с ней. Иосиф снова остался непреклонным, и выбежал прочь, оставив свою одежду в ее руках (Быт. 39:8-12). Очевидно, что у Иосифа не было иного выхода, однако его бегство сильно оскорбило жену Потифара.

Отвергнутая страсть вызывает сильнейшее ощущение глубокого оскорбления – как в те времена, так и в настоящее время. Страстное желание обладать молодым человеком превратилось в жажду мести, и она обвинила Иосифа в попытке изнасилования. Доказательством ей послужила оставленная им одежда (Быт. 39:14-18). В своем гневе она даже дошла до того, что возложила ответственность за случившееся на своего мужа: «Смотрите! Потифар привёз сюда этого раба-еврея, чтобы он насмехался над нами!»[3] (Быт. 39:14b). Ее, местную жительницу, сексуально до-

---

3 Отрывок процитирован по переводу Международной Библейской лиги. В Синодальном переводе (Быт. 39:14b) написано: «посмотрите, он привел к нам Еврея ругаться над нами». (Прим. переводчика)

могался чужеземец, которого ее собственный муж привел в дом. Это будет потом ее упреком и мужу (Быт. 39:17). Потифар и сам разгневался так, что приказал бросить Иосифа в царскую темницу (Быт. 39:19-20).

И снова одежда Иосифа послужила доказательством того, чего никогда не было. Снова он стоял нагой и одинокий, и снова был брошен в темную яму. Однако теперь он повел себя мудрее. Конфликт с братьями сделал его более зрелым. Тогда он был, вероятно, высокомерным и заносчивым. Теперь же он все сделал правильно. Он остался верным своему Богу и Потифару, и все же его бросили в тюрьму по ложному обвинению (Быт. 39:19-20). Во всем этом Иосиф сохранял молчание о происходящем. Имели бы хоть какой-то смысл его объяснения? Не мог или не хотел этот молодой человек защитить себя? Почему он оставил все это без комментариев? Эти вопросы остаются, к сожалению, без ответа.

По моему личному мнению, Иосиф даже в этой ситуации вел себя образцово. Неужели ему следовало бы разоблачить жену своего господина, обвинив ее в домогательствах, неверности и лжи? Возможно, это не подходило столь образцовому молодому человеку. Для меня также очевидна мысль о том, что он развил большее доверие Богу, пройдя этап восхождения. Теперь же, хотя Иосиф и стал работать над своим характером и над собой, то он снова оказался в яме. Это, возможно, ввергло его в очередной глубокий кризис, однако, хотя и казалось, что он опять все потерял, Иосиф смог вскоре вновь убедиться, что Бог на его стороне. Через небольшой промежуток времени он получил второй шанс, когда Бог даровал ему благоволение начальника тюремной стражи (Быт. 39:21). Иосиф воспользовался вторым шансом после тяжелого поражения. Это привело его к тому, что в течение короткого времени он становится распорядителем всего, как было и в доме Потифара (Быт. 39:22-23).

В темнице Иосифа приставили к двум заключенным, в прошлом занимавшим высокое положение (Быт. 40). Они были должностными лицами при фараоне и ожидали в темнице результатов суда. Один из них был царским виночерпием, а другой

– царским пекарем. Оба провинились перед фараоном, но никаких подробностей не сообщается. В тот день, о котором повествует Библия, оба пребывали в смятении из-за увиденных ночью снов, которые не могли истолковать. Иосиф, их товарищ по заключению, хотел узнать больше, и они ему доверились. Оба сна были связаны с их профессиями и деятельностью при царском дворе. Обоим было ясно, что сны должны иметь какой-то смысл. Иосиф, который в прошлом мог истолковать свои собственные сны, получил от Бога толкование и этих снов. Как видно из текста, не он сам обладал способностью толковать сны – это было Божьим действием (Быт. 40:8). Поэтому мы можем утверждать, что у Иосифа был пророческий дар. Поразительно и то, что Бог Иосифа сначала говорит с двумя пленниками, а потом и самим фараоном через сны (Быт. 41:1) – ведь все они явно поклонялись другим богам. Но толкования снов получали не они. Для этого им нужен был кто-то вроде Иосифа, который был близок с Богом.

В тот момент Иосиф стал чем-то вроде продолжения Божьей руки для деяний на Земле. В истории Иосифа становится ясно, что Бог говорит не только с теми, кто Его ищет и поклоняется Ему. Однако, чтобы понять увиденное или услышанное, необходим кто-то, кто близок с Богом. Как бы я хотел видеть в наших церковных рядах смелых людей, которые готовы разговаривать с людьми о своих духовных переживаниях. Как христиане мы едины в том, что молитва может быть действенной, но склонны возлагать на нее и то, что лучше было бы начать делать самим. Бог ищет таких людей, как Иосиф, которые готовы исполнять свою задачу, чтобы другие понимали Божьи слова.

Иосиф истолковал сны обоих должностных лиц. После того как сну виночерпия был дан положительный исход, пекарь тоже захотел услышать истолкование своего сна. К сожалению, толкование его сна не несло утешения. Виночерпий должен был остаться в живых, а пекарь – нет. И здесь проявляется характер Иосифа, которому пришлось сказать правду своему товарищу по заключению. Никому не хочется услышать о своем смертном приговоре, и никому не нравится это произносить. Иосиф мог бы промолчать, оставив пекаря в неведении относительно приговора суда, но поскольку узник желал услышать правду, Иосиф поделился с ним горьким посланием.

Поскольку виночерпий должен был вернуться ко двору, Иосиф попросил его вспомнить о нем, когда суд завершится, и он снова будет прислуживать фараону. В конце концов, с ним часто поступали несправедливо, и его пребывание в темнице было незаслуженным. Если весть об этой несправедливости достигла бы ушей фараона, то возможно фараон освободил бы его. И тут у Иосифа появляется надежда об обращении к фараону. Он попал в Египет юным, чужим всем, пастухом, но в его жизни многое изменилось, он приобрел множество навыков, и более высокий статус. Не у всякого гражданина была возможность обратиться к фараону со своими проблемами. Вероятно, у Иосифа никогда не было проблем с уверенностью в себе. Он снова искал способ или шанс выбраться из ямы.

Три дня спустя фараон праздновал свой день рождения, и толкования снов Иосифа стали реальностью. Виночерпий был помилован, пекарь казнен. После того как читатель узнает, что виночерпий снова свободен, то у него появляется надежда, что тот вспомнит об Иосифе. Но будет разочарован. Как и большинство людей виночерпий думал только о своем собственном благополучии и не вспомнил о чужеземце – толкователе снов, как только его дела наладились. К сожалению, этот шанс Иосифа на освобождение не реализовался. Так что на время его надежда угасла. Он оставался безнадежно забытым в своей яме в течение еще двух лет. Мы ничего не знаем об этих двух годах его жизни. Однако в ретроспективе мы увидим, что из этого глубокого небытия Иосиф выйдет измененным. И снова он не выглядит сломленным. И опять ему пришлось погрузиться в глубину. Однако он не позволил себе унывать из-за этого горького поражения. Шаг назад должен был привести его к дальнейшему развитию, как я описывал в первой главе.

4.2 Преодоление неудач

Иосиф старался все делать правильно, однако все равно сталкивался с тем, что с ним поступали несправедливо. Мы заблуждаемся, если считаем, что происходящее с нами в нашей жизни, всегда можно связать с нашим собственным поведением. Далеко не все поддается классификации «причина и следствие». Это было бы искажением реальности. С нами происходит и то, за что мы не несем ответственности. Иногда ответственность скрывается в том, как человек справляется с проблемой. В некоторых случаях собственная внутренняя жизнь человека – одна из немногих сфер влияния, которая у этого человека остается.

> *Последняя из человеческих свобод – это свобода выбирать отношение к происходящему.*
>
> *Виктор Франкл*

В Иосифе смог раскрыться сильный характер, потому что он не позволял негативным обстоятельствам одолеть его. А может, это была его вера в Божьи обетования, помогавшая ему не поддаться этим обстоятельствам? Это косвенно подтверждается и тем, что он не забыл свои сны. Вера Иосифа оставалась неизменной. Нет иного способа верить, как «Здесь и Сейчас». Мне встречались люди, которые верили «прошлым», но когда сталкивались с неблагоприятными обстоятельствами в настоящем, их вера рассыпалась. Их настоящая вера оказывалась воспоминанием о прошлом. Нельзя покоиться на воспоминаниях. Активной может быть вера только «Здесь и Сейчас», только такая вера влияет положительно на жизнь человека. Тот, кто уповает на Бога, может рассчитывать на Его поддержку. Иосиф оставался верен себе и в своем уповании и вере в любые времена, и не только в неблагоприятной ситуации с женой Потифара, но и в неволе.

Тем не менее перед читателем встает вопрос, а почему Бог допустил все эти негативные события и эту боль. Каждый человек попадает в такое положение, когда он спрашивает, а где Бог. Иосиф сталкивался с этим вопросом снова и снова. И он нашел ответ для себя (Быт. 45:5). Мы рассмотрим это подробнее в шестой главе. Однако стоит опять упомянуть один аспект, связанный с повторившейся неволей для Иосифа. Человек не растет в спокойной обстановке, где ему все известно и знакомо – и это довольно распространенное мнение. Процесс образования часто бывает весьма мучительным и строится на неизвестном и малознакомом. Австрийский писатель Эрнст фон Фейхтерслебен высказался об этом довольно метко: «Без страданий не формируется ни один характер, без удовольствия – ни один ум.»

Образование и совершенствование при всех их радостях, всегда болезненный и не слишком удобный процесс. Согласно новым исследованиям простое и комфортное повторение уже известного приводит даже к снижению уровня образования. Как мы увидим позже, этот период был важным для формирования Иосифа, и был лишь на первый взгляд низшей точкой. В действительности это была подготовка к восхождению по той спирали развития, о которой мы говорили в главе 1.

Иосиф не бежал от такого развития событий, не сидел сложа руки, но взял все лучшее из своего огненного испытания. Любой, находящийся в подобных обстоятельствах, может, подобно Иосифу, принять решение рассматривать их не как невыносимое требование или фактор разрушения, а как шанс для роста.

Лично мне приходилось нередко сталкиваться с такими личностями, которые бросали мне серьезный вызов. Конечно, иногда и я сам давал повод тем или иным людям, но в некоторых случаях я сталкивался с враждебностью со стороны других лидеров, которую до сих пор не могу объяснить. Насколько мне известно между нами не было до этого никакого конфликта или чего-либо подобного. Особенно в таких случаях мне хотелось избежать любой конфронтации. Но я не всегда мог так поступить, потому что меня обязывало мое профессиональное положение. Поэтому мне пришлось научиться воспринимать таких людей, как «тренеров» моего совершенствования.

Это хорошо, принимать жизнь со всем, что она приносит – в том числе и с негативным опытом. Только так происходит развитие личности, и только так можно преодолеть кризисы, которые выпадают на нашу долю. Я хочу еще раз обратиться к известному психологу, создателю логотерапии, Виктору Франклу, чьи работы помогли многим из тех, чья жизнь была разбита и сломлена, увидеть перспективы:

> *Тот, кто считает, что его судьба предрешена, не способен ее преодолеть.*

Тот, кто принимает жизнь с благодарностью, принимает и то, что с ним происходит, извлекая из происходящего лучшее. Поскольку я много работаю с еврейским народом, то в этом отношении они были для меня всегда примером для подражания. Несмотря на неблагоприятные обстоятельства, с которыми они сталкиваются на протяжении тысячелетий, они никогда не прекращают выстраивать свою жизнь и свое будущее. Исторически они пережили множество болезненных событий, и вероятно являются народом с наибольшим количеством травм. Но они извлекли уроки из прошлого, и привели свою страну к процветанию.

Как верующие, мы можем в любых испытаниях думать о Божьих возможностях, даже если они часто кажутся нам поначалу скрытыми от нас. Мы можем быть уверены, что из любой ситуации можно извлечь благословение. Для этого необходимо расширить свои горизонты и свои представления о Боге. Если человек хочет получить новые знания, он должен быть готов отпустить старые. Каждый верующий должен быть открыт для Бога. Согласится с этим, скорее всего, всякий верующий, но в реальности это далеко не так. Не каждый готов отказаться от собственной точки зрения и привычных устоев. Однако в периоды личностных кризисов это является необходимым.

Несколько лет назад Тобиас Файкс в сотрудничестве с Мартином Хофманном и Тобиасом Кюнклером опубликовал работу на непопулярную в христианских кругах тему под заголовком «Почему я больше не верю: когда молодежь теряет веру». Это важная тема, которая, насколько я могу судить, привлекает слишком мало внимания в немецких свободных церквях. Люди охотно говорят о тех, кто приходит к вере, и почти ничего о тех, кто от нее отворачивается. Эти три автора проинтервьюировали в своем исследовании восемь человек, которые «отвернулись» от веры. Конечно, столь малое количество опрошенных не делает работу репрезентативной, но ее результаты, безусловно, совпадают с опытом многих пасторов в отношении «разуверившихся». Например, существует определенная группа людей, у которых был травмирующий и разочаровывающий опыт потери члена семьи из-за болезни. И тут реальность собственной жизни с одной стороны, сталкивается с другой стороны с собственным образом Бога, как всемогущего и любящего Бога. Между этими двумя точками, кажется, возникает непреодолимая пропасть, и отказ от Бога становится для них логическим завершением. В конце концов, Бога, которым себе представляют Его люди, похоже, не существует. Но ведь можно пересмотреть этот созданный самим собой образ Бога, и именно это, очевидно, действительно необходимо. Однако это требует непредубежденности. А на практике означает признание того, что человек не знает всего о Боге, и потому не может в достаточной мере понять ни Его самого, ни Его действий. Непредубежденность означает к тому же открытость к иным перспективам и поддержке других людей. Таким образом из личностных кризисов выходит самое лучшее.

Будь то времена штурма или времена покоя: Бог остается Богом сопереживающим, Тем, Кто сопровождает человека и влияет на происходящее. Он пребывает рядом здесь и сейчас, и Его внимание сосредоточено на человеке, даже если тот иногда не воспринимает так это внимание. Во времена бурь человек подчас задается вопросом, почему Бог не выводит его из проблемных ситуаций, чтобы у него были лишь добрые дни, и по возможности никаких плохих переживаний. Более всего человек хотел бы быть защищенным от беспокойств, травм, потерь и отказов. Но это не то, что Бог обещал людям на Земле. Он обещал, что будет с нами посреди все испытаний.

Вот и на этом этапе истории Иосифа могло сложиться впечатление, что Бог больше не поддерживает его, ведь иначе почему с ним случилась такая беда? Однако если мы рассмотрим историю Иосифа глубже, то нам станет ясно, что Бог был неизменным спутником Иосифа, несмотря на все им пережитое. За преступление, в котором обвинили Иосифа, в Египте его могли привлечь к ответственности совсем по-другому. «За прелюбодеяние с замужней женщиной, как мужчину, так и женщину ожидали суровые наказания – смерть, изгнание, отсечение носа и ушей, 1000 ударов плетью или выплата огромных денежных сумм.»[4]

Так что Иосиф отделался относительно легким наказанием. Божья защита, которую здесь можно явно наблюдать, ведет к тому же ко второй части восхождения юного чужеземца на чужбине: «И Господь был с Иосифом...» (Быт. 39:21a). Неважно как пролегал путь Иосифа, тот факт, что Бог сопровождал его, заставлял его подниматься и в самые тяжелые времена. Как я уже писал, история Иосифа более, чем реалистична. Восхождение никогда не бывает непрерывным. Провалы и поражения остаются частью развития человека даже тогда, когда кажется, что делаешь все правильно. Неудачи и разочарования являются частью жизни. Они неизбежны для каждого, кто готов дерзнуть и пойти новым путем. Однако поражения не являются проблемой лишь прогрессивных людей. Подчас и пребывание в обычной среде может стать рискованным. Все в этом мире подвержено изменениям. Нравится это кому-то или нет, но и не склонным к рискам людям приходится испытывать неудачи. Более того другие люди могут привести к разочарованию и неудачам, как мы видим на примере Иосифа. Потому и вопрос, который стоит задать себе, не в том, можно ли избежать неудач в какой-либо сфере жизни, а в том, как справиться, когда что-то случается. Как снова встать после падения? Ответ на этот вопрос более конструктивный.

---

4 *Feucht, Erika: Frauen, in: Der Mensch des Alten Ägypten*

Американский предприниматель Рэй Далио как-то сказал по поводу неудач, что ключ к успешной жизни – умение правильно прожить неуспех. В Иосифе мы видим хороший пример того, как нужно относиться к неудачам. Можно позволить разочарованию одолеть себя, а можно начать сначала. После каждого поражения Иосиф выбирал второе. После того, как его продали в Египет, и всей той боли, которую юному Иосифу пришлось пережить в той первой яме, ему удалось завоевать авторитет в глазах Потифара. Когда его, невиновного ни в чем, тем не менее снова бросили в яму, ему удалось завоевать расположение начальника темницы (Быт. 39:21). Но как практически справляться с поражениями такого рода? Или точнее говоря, как развить в себе такие качества, чтобы уметь вставать снова и снова? Лично для меня важными стали следующие пять внутренних правил. Именно они учат подниматься успешно. Без них трудно вставать.

Быть честным

Прежде всего важно быть честным с самим собой. Что произошло на самом деле? Не всегда причина происходящего находится во мне. Надо посмотреть на событие максимально объективно. Конечно, сказать легче, чем сделать. Часто бывает полезно дистанцироваться от происходящего.

Если рассматривать собственный провал слишком пристально, то возникает риск впасть в крайности. Некоторые относятся к происходящему легко и делают подобные заявления: «не такая уж и трагедия», «такое может с любым случиться», или «на самом деле, я не так уж и виноват, не то что другие». А кто-то усугубляет случившееся и погружается в самобичевание. Однако не помогает ни то, ни другое.

В такой ситуации полезно занять своего рода мета-перспективу. Конечно, это легче сделать, если найти хороших консультантов с нейтральной позицией. Благодаря своей дистанции они могут смотреть на событие менее эмоционально. Пока я привязан эмоциями к своему поражению, мне трудно трезво смотреть на происходящее. Общеизвестно, что у каждого свой взгляд на вещи и свое представление о правде. Когда человек ранен эмоционально, то это еще более ощутимо. В Новом Завете Иисусу приписывается атрибут «Истинный» (Мк. 12:14, Откр. 19:11[5]), потому что Он был неподкупным и абсолютно надежным. Истинность – это внутренняя «линейка» измерения искажения в стремлении к истине.

Если человек заинтересован в принятии мета-перспективы, то вместо преуменьшения или замалчивания происходящего ему стоит прислушаться к этому внутреннему «измерителю истинности».

Взять ответственность на себя

Я подозреваю, что большинство людей уверены, что они несут ответственность за себя и свою жизнь. Однако на самом деле так поступают лишь немногие. В этом вопросе мы – люди – довольно противоречивы. С одной стороны, мы хотим сами распоряжаться своей жизнью и не терпим никакого внешнего контроля. С другой, мы неохотно признаем свои ошибки и промахи. В собственных ошибках мы предпочитаем винить обстоятельства или других людей.

Как только что-то идет не так, как должно, то начинают искать виновного, и, как правило, находят. Призывать кого-то к ответу или возлагать на него ответственность за что-то, стало чем-то уже привычным как в повседневной жизни, так и в бизнесе или политике, да и в церкви. И с термином «ответственность» у нас, обычно, связаны негативные ассоциации. Потому и неудивительно, что вопрос: «Кто несет ответственность за это?» вызывает отрицательную реакцию у всех причастных к произошедшему. Потому никто не хочет быть ответственным за что-либо.

---

5 *В Синодальном переводе в указанных местах Писания употребляются разные значения греческого слова «alēthés» (истинный, правдивый, верный, справедливый, искренний). В Мк. 12:14 – Справедливый, а в Откр. 19:11 – Истинный (Прим. переводчика).*

На первый взгляд легко обвинить кого-то или что-то в наших собственных неудачах. Легче жаловаться на что-то, что вне нашего контроля, но это ни к чему не приводит. До того, как я перейду к тому, как вести себя так, чтобы прийти к цели, я хотел бы упомянуть о том, что существует почти модный, но неправильный подход к поведению в сложных обстоятельствах. Пару десятилетий тому назад мало кто хотел бы именоваться «жертвой», но сегодня в эту роль легко вживаются даже высокопоставленные политики разного ранга. Маттиас Лорэ в своей книге «Жертва – новый герой» рассказывает об этом современном феномене.

Жертве не нужно нести ответственности. Не нужно искать, что можно было бы сделать иначе, ведь тогда ты и не виноват. Вместо этого жертва получает сочувствие и проявление внимания со стороны других.

Однако такое отношение блокирует личностное развитие. Отказ от ответственности означает в том числе и отказ от контроля над собственной жизнью. В таких условиях не бывает ни роста, ни развития. Они происходят тогда, когда человек берет сложившиеся обстоятельства в свои руки. Поэтому я могу посоветовать всем забыть кто или что способствовало неудаче, и вместо этого взять на себя ответственность за происшедшее.

Те, кто готов нести ответственность за последствия провала или ошибки, извлекая из них пользу, обладают устойчивым внутренним стержнем. Именно такие люди остаются успешными в том, что они делают. Поскольку они берут на себя ответственность, то и другим легче возложить ответственность на них за что-то или кого-то.

Отпустить

Не всегда легко простить себя за свои собственные ошибки, прегрешения и неудачи. Воспоминания о прошлом могут долгое время терзать чувство собственного достоинства. Как наш собственный голос, так и голоса из прошлого любят напоминать нам о том, что случилось. Поэтому не стоит держать себя в ловушке прошлого.

Бог так не поступает. Если мы заглянем в Библию, то почти сразу увидим, что Он умеет прощать и забывать. Один отрывок из Ветхого Завета впечатляюще это описывает:

> *Кто Бог, как Ты, прощающий беззаконие и не вменяющий преступления остатку наследия Твоего? не вечно гневается Он, потому что любит миловать. Он опять умилосердится над нами, изгладит беззакония наши. Ты ввергнешь в пучину морскую все грехи наши.*

Михей 7:18-19

Когда я консультирую людей, то мне нравится задавать им вопрос о том, можно ли повернуть время вспять и что-то отменить? Конечно, этот вопрос риторический. Нам известно, что такое не под силу ни одному человеку, потому и полезно отпустить прошлое. Под «отпустить» я имею ввиду не «подавить», а извлечь уроки из происшедшего и отложить.

Однажды меня спросили: «Чему я могу научиться из той несправедливости, которую совершили по отношению ко мне?» Я ответил: «Чему-нибудь.» Прежде всего можно научиться тому как не надо поступать, и как надо. Можно учиться практиковать прощение. Для примирения нам необходима другая сторона, ведь мы примиряемся с кем-то. Для прощения нам не обязательно нужен кто-то, мы делаем это для себя, а не для кого-то. Это мне важно, чтобы из моей души ушли горечь и гнев.

Кому мы должны отдавать свое прошлое? После того, как мы с ним встретились и отпустили его, мы можем с полным правом оставить его нашему Господу Иисусу Христу. Из него Он сделает лучшее для нас. Даже если наше прошлое в наших глазах выглядит руинами, в Его глазах это нечто большее. Для Него оно подобно строительному материалу. Я могу что-то считать навозом, но для Него оно станет удобрением, на котором расцветет мое настоящее и будущее.

Независимо от того, какие обстоятельства или испытания преподносит нам жизнь, главным является то, чтобы мы сделали правильный выбор для нашего будущего. В противном случае нам будет трудно добиться успеха или стать счастливыми. Это верно в целом, а особенно в отношении к неудачам. Чтобы подняться и изменить текущую ситуацию, мне нужны правильные решения, иначе все останется как есть или повторится снова. Само по себе лучше ничего не становится.

Кто-то мне сказал в разговоре: «Мне невыносимо трудно принимать решения. Я предпочитаю выждать лучшего момента, когда все сойдется, и я смогу сделать выбор.» Моим ответом было то, что отсутствие решения — это тоже решение: «Каждый из нас делает выбор – за или против. Вашим решением было остаться там, где вы находитесь.»

Кто не принимает решений, тот не только не берет на себя ответственность за свою жизнь, но и позволяет каким-то обстоятельствам принимать решения вместо себя. Отсутствие осознанного выбора – это тоже решение, причем зачастую худшее из возможных. Некоторые тем не менее считают, что лучше дождаться благоприятных возможностей. Другие поступают мудрее, создавая новые возможности.

Я со своей стороны рекомендую принимать решения, но руководствуясь разумом, чувством и духом.

Разум: делать выбор, опираясь на разум, означает взвесить все за и против. С какими последствиям мне следует считаться? Какие преимущества и недостатки создаст такой выбор для меня самого, а также для моих близких?

Чувства: хотя наши чувства могут быть обманчивы, они не всегда затуманивают наш разум. Напротив. Они обращают наше внимание на то, что мы, возможно, могли упустить из виду. Они напоминают нам о похожих ситуациях из прошлого, пережитых нами, и предостерегают от попадания в ту же ловушку.

У сердца свои доводы, о которых разум и не подозревает.

Блез Паскаль

Дух: человеческий дух должен бодрствовать всегда. Его задачей является проверять соответствие нашего решения с Божьим Словом. Чью волю я ставлю на первый план в своем решении? Не всегда мои личные желания совпадают с Волей Божьей.

Смотреть шире

Непредубежденные люди открыты для нового и неизвестного. Они не закрываются от обучения, роста и развития. Тот, кто хочет преодолевать поражения, должен быть восприимчив к новому и незнакомому.

Такое отношение требует мужества. Ведь если кто-то берется за новое и неизвестное, он снова становится начинающим. А у начинающего далеко не все сразу получается, да и на пути ждут ошибки и промахи. Однако они необходимы, ведь человек мало растет в приятных жизненных условиях. Именно в кризисах и провалах человек учится лучше всего, если только он готов вставать и совершенствоваться.

В силу своего возраста я постепенно приближаюсь к пенсии, и таким образом, к новому этапу в жизни, который мне еще совершенно неизвестен. В связи с этим меня часто спрашивают, что я буду делать с этой новой для меня реальностью. Я с удовольствием отвечаю, что продолжу дальше жить. На самом деле, так поступают все. Но у некоторых это продолжение жизни больше похоже на ожидание ее окончания, потому что они не готовы открывать для себя новые территории На мой взгляд нежелание развиваться связано не столько с возрастом, сколько с собственной закрытостью для нового.

Человек непредубежденный готов учиться. Ему нравится задавать вопросы, потому что он знает, что еще столько всего, чему он может научиться. И это не столько способность учиться, сколько желание учиться. Лично я придерживаюсь следующего: в моей жизни все содействует ко благу, даже если оно таковым по началу не выглядит. Такое отношение помогает мне выстоять и справиться с трудными жизненными периодами, даже если время от времени я с трудом их преодолеваю. Легко ли это? Нет. Но оно того стоит.

❓ Вопросы для личного размышления

1. Вспомни Твои периоды неудач. Объективный ли у Тебя взгляд на них? Поразмышляй об этих периодах и своем взгляде на них, обсуди это с кем-то из близких.
2. Удалось ли Тебе подняться и выйти из этого времени укрепившись?
3. Как Ты реагируешь, когда Тебя обижают?

5 Этап четвертый: Продвижение

5.1 При дворе царя

Прошло еще два года забвения, но два сна открыли для Иосифа новые возможности (Быт. 41).

Однажды фараону приснились странные сны. В первом он увидел семь тучных коров, вышедших из Нила. А затем вышло семь тощих коров, которые съели тучных (Быт. 41:2-4). Впечатленный этим сном фараон проснулся, но тут же уснул и увидел следующий сон. В нем из одного стебля выросло семь колосьев здоровых и полных зерна. А затем выросло семь иссушенных колосьев, которые пожрали хорошие. Проснувшись, фараон опечалился, потому сны ясно говорили, что доброе и изобильное пожирается плохим и тощим. Очевидно, что сны были как-то связаны с сельскохозяйственной стороной и, возможно, затрагивали всю страну. Поэтому с утра фараон призвал всех своих магов, чтобы получить ответ, но никто из них не мог истолковать эти сны. Скорее всего, все их попытки не удовлетворяли фараона. Так об этом говорит Мидраш, в комментариях раввинов.

И тут виночерпий вспомнил о еврейском юноше, который верно истолковал его сон и сон его товарища по заключению (Быт. 41:9-13). Фараон приказал привести Иосифа из темницы. И снова Иосиф оказывается вытащенным из ямы. В первый раз освобождение привело его в Египет, где он снова оказался в яме, но на этот раз все должно быть иначе.

Во всех этих отрывках поражает то, что хотя они и скудны, но в них прямо упоминается облачение в новые одежды (Быт. 41:14). Должна ли говорить о чем-то новая одежда? Однажды Иосифу уже давали новую одежду, но она была сорвана с него. Позже мы еще раз обратимся к этому.

Дальнейшее повествование остается кратким. Фараон начал разговор. Пребывание в яме изменило Иосифа, он мог бы сразу растолковать сны, не слыша их пересказ, но здесь подчеркивается, что не Иосиф обладал особой способностью, но Бог давал ему толкование (Быт. 41:16). Фараон поведал о своих снах Иосифу (Быт. 41:17-24). Затем внимательно выслушал Иосифа, у которого было не только объяснение снов (Быт. 41:25-32), но четкие рекомендации и стратегии для сохранения благосостояния страны и ее населения (Быт. 41:33-36).

Итак, Иосиф мог не только сны толковать, но и был способен к политически проницательным суждениям. Эти навыки он, несомненно, приобрел в доме Потифара и в темнице. Теперь он был, похоже, готов к новому карьерному шагу. И даже если ранее он не занимался какой-либо деятельностью с такой огромной ответственностью, у него, по крайней мере, была основа, на которую можно было опираться. Таким образом, он все же начинал не с нуля. Было очевидно, что предыдущий период страданий стал временем оснащения.

Собственно, истолковав сны Иосиф бы просто выполнил то, о чем его попросили. Но здесь мы снова видим молодого человека, способного использовать возможности, когда они появляются.

Египет ожидали семь лет изобилия. За ними должны были последовать семь лет засухи, во время которых в стране будут страдать от сильного голода. По словам Иосифа повторение сновидений дважды стоит толковать как твердое решение Бога. Теперь фараону нужно найти мудрого управляющего и поставить его над страной. Этот управляющий должен взимать 20-процентный налог на зерно, чтобы накапливать часть вырученного в хранилищах. Оно может спасти страну от худшего в голодные годы и пережить эти времена.

Возможно, Иосиф и стал изобретателем централизованной экономики «аграрного типа» в Египте. В любом случае, в этой ситуации он проявил себя как мудрый политический управляющий, способный брать на себя больше ответственности.

И снова перед нами вырисовывается картина того, что Иосиф не сдавался в трудные моменты своей жизни, а продолжал развиваться. Только так он смог убедить фараона в том, что он подходит для такого поручения. Он не только не похоронил свои мечты и не замкнулся от жалости к себе, но продолжал готовить себя к обещанному ему Богом предназначению.

Фараон не мог не заметить, что способности Иосифа имели сверхъестественное происхождение. Он сказал своим слугам, что не знает, где можно найти еще такого человека, в котором бы был Дух Божий. Поэтому он поставил Иосифа над всем своим домом (Быт. 41:38-40). Трудно понять какой конкретно пост занимал Иосиф. Здесь используется та же формулировка, что и при назначении его Потифаром над всем своим домом. Возможно, Иосиф стал кем-то вроде правителя страны. В любом случае, дальнейшие слова фараона показывают, что бывший раб занял высшее положение в египетской иерархии, поскольку выше него был лишь фараон, который поставил его над всем Египтом (Быт. 41:40-41).

При вступлении в должность Иосиф получил перстень с руки фараона, которым он мог теперь удостоверять документы, и золотую цепь на шею как символ вновь обретенного им достоинства. И снова мы встречаем особенное одеяние. Как когда-то одежда, подаренная отцом, показывало его привилегированное положение перед братьями, так и почетные виссонные одежды от фараона символизировали его особое положение при царском дворе. Все это было явным знаком того, что Бог не забыл свои обетования и исполнил их. Несмотря на все низины и овраги, которые пришлось пройти Иосифу, в этот день он занял то высшее положение, которое он видел в своих снах. На тот момент его сны еще не были полностью исполнены, но Иосиф уже получил больше, чем мечтал.

Теперь Иосиф мог ассоциировать одежду с чем-то положительными, а не только отрицательным, как раньше. Это, безусловно, было целительным для него. Одна известная пословица гласит, что время раны лечит. Но я думаю, что большинство людей, согласятся со мной, что это не так. Время в лучшем случае боль притупляет. А что, действительно, исцеляет, так это процесс перехода от старого к новому. Плохой опыт заменяется положительным новым. Отрицать прошлый опыт или пытаться его забыть не слишком полезно, потому что воспоминания не перестанут всплывать и продолжат грызть сердце – особенно в неблагоприятной обстановке. Однако принятие прошлого и замена болезненных событий новым опытом приносят действительное исцеление души. Я могу себе представить, что с облачением Иосифа в новые одежды, на него нахлынули воспоминания и старые раны снова разнылись. Шрамы от ран не исчезают, но по мере заживления они перестают воспаляться. В такой момент становится понятно, как Бог исцеляет душу человека после скорби.

Вместе с вступлением в должность фараон произвел и инкультурацию Иосифа. Он дал Иосифу новое египетское имя Цафнаф-панеах, что можно перевести как «Бог говорит: Он жив» (Быт. 41:45). Наречение новым именем можно воспринимать как еще один акт со стороны фараона для возвышения Иосифа. Исторически мы часто видим, что при вступлении в должность люди получали новые имена, например, короли и Папы. В наше время некоторые стремящиеся к славе люди используют псевдонимы, чтобы обрести новый имидж. В некоторых религиях духовные лица тоже получают своего рода духовный псевдоним, достигая определенного уровня. В этом отношении новое имя Иосифа – это больше, чем просто социализация или культурная интеграция.

Кроме того фараон дал Иосифу в жены дочь уважаемого египетского жреца. Ее имя Асенефа означает «Она принадлежит Нейт[6]», и Нейт была богиней Древнего Египта. Уже имя говорит о том, что Иосиф женился на женщине иных религиозных убеждений. Для его предков Авраама, Исаака и Иакова было важно не брать жену из других народов, и когда Исав взял в жены двух хеттеянок – Иегудифу и Васемафу, то это возмутило его родителей

---

6 *Транслитерации древних имен по правилам латинского и древнегреческого языка отличаются друг от друга, поэтому транскрипция имени богини войны выглядит и как Nηῖϑ, и как Nj.t, что в свою очередь читается и как «ф», и как «т», а огласовка как «ей», или как «е», то есть имя богини войны может быть записано как Нейт, Неф, Нит или Нефа. Имя жены Иосифа, взятое в Синодальный перевод из древнегреческих текстов записано как Асенефа, она же в вариантах, основанных на Вульгате – латинском переводе Писания, пишется как Asenat (прим.переводчика).*

(Быт. 27:46, 28:8). Однако у Иосифа не было иного выбора после того, как он был изгнан братьями и был вынужден поселиться в другой стране. В конце концов, в глазах фараона он был теперь гражданином Египта, и не в его власти было отказаться от предложения фараона.

Первое, что сделал Иосиф, преступив к своим обязанностям чиновника такого уровня – он объехал всю страну (Быт. 41:46). Далее все произошло именно так, как сказал Иосиф: семь лет Египет жил в изобилии, и Иосиф смог собрать в хранилища много зерна. И количество зерна было настолько огромным, что невозможно уже было подсчитать, сколько же его было на самом деле (Быт. 41:47-49).

По истечении семи плодородных лет наступил переломный момент, и страна погрузилась в голод на следующие семь лет. Все оказалось даже хуже, чем ожидалось, потому что засуха затронула не только Египет, но и соседние страны (Быт. 41:56). Когда население Египта начало страдать от голода, то они воззвали к фараону. Он же направлял их к своему чиновнику Иосифу: «...пойдите к Иосифу и делайте, что он вам скажет» (Быт. 41:55).

Не только египтяне стали обращаться к Иосифу, чтобы купить зерна, но и народы соседних стран. Иосиф – чужеземец – переживавший длительное время кризис и переживший его, стал антикризисным менеджером Египта и его соседей.

Автор повествования даже упоминает, что Иосифу было тридцать лет, когда фараон возвысил его (Быт. 41:46). В семнадцать лет он был продан в Египет, и в течение тринадцати лет должен был пройти несколько кризисов, чтобы, наконец, занять свое место во главе политики Египта, и помочь миру того времени. Презираемый собственными братьями, брошенный ими в яму, проданный в Египет, где ему тоже было несладко, ведь его бросили в темницу, несмотря на его добросовестную работу и честное отношение к своему хозяину Потифару. Да и в темнице, когда виночерпий забыл о нем, ему пришлось отказаться от надежды освободиться. Таким образом, ему пришлось пережить три кризиса прежде, чем он смог проявить себя как сведущий толкователь сновидений и мудрый политический советник. Поэтому история Иосифа может показаться сказочной только в кульминационный момент, но никак не в ретроспективе, иллюстрирующей его многочисленные страдания.

Каким бы он был, достигнув такого карьерного пика, не пройди он столько страданий? Еще до того, как голод охватил Египет, его жена родила двух сыновей. Иосиф назвал их Манассией и Ефремом, и их имена дают нам представление о его душевном состоянии (Быт. 41:50-52). Манассия напоминает о том, что Бог «позволяет забыть». Обоснование, данное самим Иосифом, еще более впечатляюще объясняет значение:

> *«...Бог дал мне забыть все несчастья мои и весь дом отца моего...»*
>
> *Бытие 41:51*

Имя второго сына – Ефрем – означало «плодородная земля», потому что Бог сделал его плодовитым в земле его страданий (Быт. 41:52). Итак, мы видим, что Иосиф смог оставить свое прошлое. Каждый раз, когда он звал своих сыновей по имени, он мог вспоминать, что Бог помог ему не застрять в прошлом.

5.2 Сохраняя правильные ориентиры

И снова становится ясным, что Иосиф не оставался пассивным в сложившихся обстоятельствах. Он вносил свой вклад в процесс своего исцеления. Он примирился со своим прошлым, а потому смог таким образом жить в здоровом настоящем и с надеждой смотреть в будущее. Однако это стало возможно только потому, что он никогда не терял из виду свою мечту и готовился к ее осуществлению, независимо от того, были ли его шансы многообещающими или нет.

На меня произвела впечатление биография Вильмы Рудольф, которая вошла в историю спорта как «черная газель». Эта афроамериканка родилась в 1940 году в американском штате Теннесси, и выросла в бедной многодетной семье. Даже ее рождение было проблематичным. Она родилась недоношенной, из-за чего была очень болезненной.

В совсем юном возрасте она перенесла пневмонию и скарлатину, но более всего его мучили последствия полиомиелита. Большую часть своего детства она провела в постели, и научилась ходить лишь к шести годам, и то с шиной на левой ноге. Для большинства из ее окружения было понятно, что девочка скорее всего никогда не сможет нормально ходить. Но все обернулось совершенно иначе.

Семья Вильмы помогала ей справляться с болезнью, ежедневно делая ей массаж. В одиннадцать лет она начала играть со своими братьями с баскетбол, и в двенадцать ей разрешили снять шину с ноги. Игра в баскетбол доставляла ей огромную радость после долгих лет ограничения в движении. Она упорно работала над своими навыками, и становилась сильнее. В средней школе она могла играть в настоящей команде и даже установила там несколько рекордов. Тренер по легкой атлетике в колледже Теннесси заметил ее на баскетбольном матче и предложил ей стать частью легкоатлетической команды. Он добился для нее рабочей стипендии в колледже, чтобы она могла тренироваться с командой колледжа, будучи ученицей средней школы.

Бег стал для Вильмы освобождением, и она хотела стать лучшей, поэтому усердно тренировалась со своим тренером и командой. Уже через год после вступления в команду она смогла пройти квалификацию на летние Олимпийские игры 1956 года в Мельбурне. В свои 16 лет она была самым юным членом команды, и выиграла бронзу в эстафете 4 x 100 метров. Просматривая сегодня снимки летних Олимпийских игр 1960 года в Риме с Вильмой Рудольф, я поражаюсь ее запечатленной легкостью, и никогда бы даже не подумал о ее ограничениях в прошлом, если бы не знал о них.

В Риме она выиграла три золотые медали (на дистанциях в 100 м и 200 м, и в эстафете 4 x 100 м), установив два мировых рекорда, в том числе со своей командой в эстафете.

Биография Вильмы Рудольф показывает, что человек может быть со-творцом своей «судьбы», даже когда на первый взгляд так не кажется. Тем более это верно для верующего человека, потому что у него есть еще одна сила, которая помогает ему влиять на свою жизнь. Из обеих историй – Вильмы и Иосифа – мы видим, что не кульминации нашей жизни заставляют нас проявлять себя наилучшим образом, а периоды страданий. Поворотными пунктами нашей жизни становятся скорее низшие точки, чем верхние. Фазы, когда человек несчастен или неудовлетворен, являются важнейшими источниками мотивации, потому что человек, в конце концов, хочет достичь лучшего в будущем. Поэтому этап испытания огнем становится основой для этапа продвижения.

Но на этапе продвижения есть еще камень преткновения на пути к успешности, поскольку самой большой опасностью для успеха является сам успех. В фазе успеха люди особенно склонны «расслабляться». В главе 2.2 я уже касался того, что это означает. Тот факт, что у человека был успех в прошлом не говорит о том, что он с легкостью добьется большего успеха в будущем.

Еще одним подводным камнем этого этапа может стать гордость, которая приходит вместе с успехом. Конечно, можно и нужно гордиться своими заслугами и прошлыми достижениями. Всегда стоит смотреть назад с благодарностью за достигнутое. Это

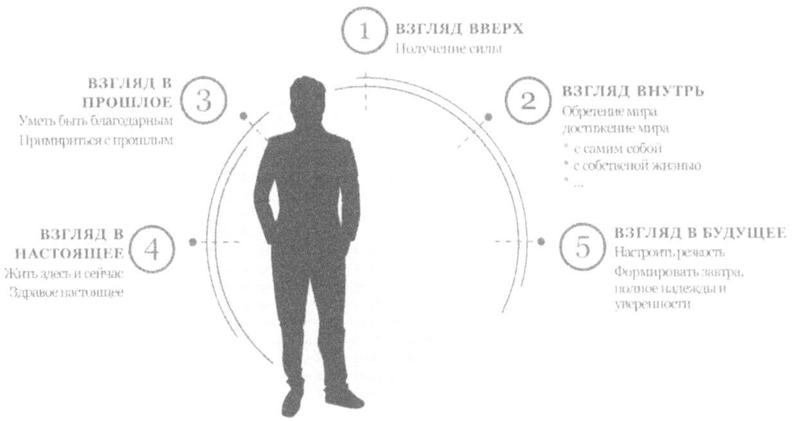

ИЗОБРАЖЕНИЕ 6. Ориентиры

укрепляет веру в себя. Меня всегда озадачивали люди, которые действительно добились больших успехов, но почти не замечают прошлых побед. Однако есть и неуместная гордость. Люди такого рода считают, что «добились своего», и, пребывая в комфорте, становятся невосприимчивыми к советам. Мне грустно наблюдать подобное, но к сожалению, сталкиваться приходится слишком часто.

Как же избегать подобных ошибок? Во второй главе я уже объяснял, что учеба длиною в жизнь или постоянное самообразование являются основой для будущей успешности. Кроме того, огромную роль играет умение фокусироваться на линии горизонта, или придерживаться правильных ориентиров. Я выделяю пять ориентиров, позволяющих достичь целостного роста. Однако было бы недальновидно смотреть только вперед. Баланс достигается тогда, когда стараешься не терять из виду все направления. Например, если человек в прошлом пережил много боли, то для здорового развития ему необходимо исцеление. Кроме того, верующий человек действует не в одиночку, а опирается на небесную поддержку. Человек устает тогда, когда трудится один в измерении осуществимого. Поэтому я начинаю со взгляда вверх.

1. Взгляд вверх: получение силы

В своей книге «Воспламеняющая благодать» я подробно объяснил, что христианину обещана сила свыше через Иисуса Христа (Деян. 1:8). Исполнение Духом Святым оснащает нас столь необходимой для служения силой. Эта сила приходит не извне, а свыше. Поэтому наш взгляд должен быть устремлен в первую очередь к источнику силу, вверх, к Отцу всех добрых даров. Эта Божья сила не может быть сведена сугубо к служению. Она дается нам и для личного изменения, происходящего, когда мы исполняемся Духом Святым. Эту силу не консервируют в виде накопления опыта, она приходит только через силу Духа. Более того эта духовная сила является также силой жизненной. И чтобы ее получить необходима инициатива человека. Он должен устремлять свой взор к Богу в поклонении и поиске Бога. И не однажды, а постоянно и регулярно. В жизни человек сталкивается довольно часто с вызовами и вопросами. В поиске ответов мы смотрим вокруг себя, но и здесь необходимо обрести внутренний покой и обратить свой взор к Богу, который может наделить мудростью и новой силой.

2. Взгляд внутрь: обретение мира

Человеческая душа представляет собой «внутренний сосуд». Когда Иисус наполняет этот сосуд и вносит туда Свой порядок, то человек осознает, кто он есть. Фактически человек узнает о себе правду. Поскольку человек знает и понимает, что его любят, что он прощен Богом, то он может вынести правду о себе и принять ее. Так начинается процесс личного обучения и изменения. Человек обнаруживает, что не он решает, кто он есть, и не окружающие, и не его достижения, а Бог. Мир с самим собой помогает вынести правду о себе и утвердиться в своем призвании (2 Петр. 1:10-11). Это похоже на собирание пазлов. Лучше всего это удается, когда у вас перед глазами есть изображение готовой головоломки. От Бога человек получает образ собственной личности. Лично я потерял из виду мое призвание из-за различных переживаний в прошлом. Поэтому мне пришлось их заново утверждать в себе. Это нормально и в долгосрочной перспективе делает собственное развитие стабильным. Взгляд вверх дает силу, чтобы честно посмотреть на себя, а взгляд внутрь позволяет обрести покой, мир и несет примирение в том числе с самим собой. Таким образом, человек попадает в настоящее и может жить здесь и сейчас.

3. Взгляд в прошлое: достижение примирения

Иосиф не стыдился своего прошлого. Он оглядывался на свою жизнь с благодарностью и понимал, что со всей его болью ему помог справиться Бог (Быт. 41:51). Когда человек благодарен, ему едва ли удастся испытывать в то же время беспокойство и раздражение. Всегда есть что-то, за что можно быть благодарным, и свое внимание следует обратить на это. То, что произошло – уже в прошлом, и необходимо научиться жить в согласии с этим. Если человек испытал боль, то важно принимать активное участие в исцелении, возможном решении, как это делал Иосиф. Кто сосредотачивается на своей боли и страдании, вспоминая о них, вынужден заново переживать происшедшее, вмешиваясь в процесс исцеления. Настоящее исцеление включает в себя отстранение от боли, и ее забвение. Если позволить плохому опыту разрушать собственную жизнь, то прошлое захватит будущее в заложники. Лучше иметь дух того человека, который молится: «Господь, помоги мне простить тех, кто грешит не так, как я».

Важно помнить, что только когда с благодарностью смотришь в прошлое, можно с уверенностью смотреть в будущее. Но благодарность не является самоцелью. Быть благодарным можно и нужно научиться. Можно быть благодарным и тогда, когда не все в жизни сложилось так, как хотелось бы. Существует так много всего, за что можно поблагодарить. Лично я могу составить длинный личный список. Благодарность оказывает огромное положительное влияние на жизнь, что подтверждают многочисленные репрезентативные исследования. Кто учится благодарности, одновременно учиться минимизировать свое недовольство и приумножать свое счастье. Я счастлив. И не потому, что у меня все есть, а потому, что я благодарен за все, что у меня есть.

4. Взгляд в настоящее: здравое сейчас

Благодаря примирению с собственной биографией и ранами, которые случались в течение жизни, человек может жить здоровым настоящим. Он с благодарностью оглядывается назад на свою жизнь и в состоянии формировать свое настоящее без горечи и страха. Человек не живет в прошлом, а прибыл в «Здесь и Сейчас». Вопросы из прошлого закрыты и не отнимают уже столько жизненной энергии. Не ставятся вопросы: «Почему я тогда не...?», «Что было бы, если...?» Уроки прошлого пройдены, и в нем уже не выискивают ошибки. Человек осознает, как много в жизни он получил от Бога и людей, а потому готов отдать что-то взамен. Выученные уроки помогают строить наполненное надеждой будущее.

5. Взгляд в будущее: формирование завтра

Когда внимание человека настроено вперед, и он не теряет фокус, устремленный вверх, то он осознает Божьи перспективы в отношении собственного предназначения. Так рождается видение. Возможно, в этой кульминационной точке человек достиг каких-то целей, но на них миссия христианина в этом мире не заканчивается. Очень важно сохранять открытость к тому, что будет дальше. Те люди, кто готовы самообразовываться и ценят новое и неизведанное, к такому моменту будут уже в поисках следующего видения. Но сначала нужно совершить еще один шаг, до того как перейти к новому видению, и в следующей главе я намерен обратиться к этой теме.

1. Составь свой список благодарения, за что Ты можешь поблагодарить.
2. Примирился ли Ты со своим прошлым, даже если оно было болезненным.
3. Что Ты видишь, когда смотришь вперед на свое будущее?
4. Можешь ли Ты смотреть в свое завтра, или есть что-то, что мешает?

6 Этап пятый: Передача

6.1 Воссоединение семьи

Повествования о поездках братьев Иосифа составляют второй важный момент в истории Иосифа, по крайней мере, если рассматривать всю историю. Я изложу их здесь вкратце, поскольку в них больше говорится о воссоединении семьи, чем о развитии Иосифа.

Как и Иосиф трижды проходил свои испытания, так и братьям пришлось трижды приходить в Египет, пока их путешествие не обернулось к лучшему. Трижды им пришлось преодолевать путь от дома до Египта, не зная чем все закончится. Не раз им пришлось испытать страх и отчаяние. Когда голод добрался до родины Иосифа, Иаков узнал, что в Египте еще можно купить зерно, и отправил туда своих сыновей. В повествовании они выглядят беспомощными, и отцу приходится их увещевать не друг на друга смотреть, а отправляться в дорогу, потому что это вопрос жизни и смерти (Быт. 42:1). В то время когда Иосиф обеспечивал выживание многих народов, его братья были не способны даже принять мудрое решение для выживания собственного рода.

Итак, по велению отца десять братьев отправились в дорогу. Вениамина отец не захотел отправить с ними. Он уже потерял одного сына от своей любимой жены Рахили, и не хотел, чтобы с Вениамином случилось какая-либо беда (Быт. 42:4).

Оказавшись в Египте, братья предстали перед Иосифом и преклонили пред ним колени (Быт. 42:6). Прошло уже много лет после того, что они с ним сделали. Иосиф говорил уже на другом языке, да и они никак не могли ожидать, что встретят своего младшего самонадеянного брата, занимающим такое положение. Им было привычно считать его погибшим (Быт. 42:13), ведь он для них просто исчез (Быт. 37:28). Так остался Иосиф неузнанным братьями. Ведь тот факт, что этот высокопоставленный египетский чиновник мог быть их младшим братом, совершенно не вписывался в их представления. Позже мы увидим, что ни один намек Иосифа не вызывал у них никаких подозрений.

Иосиф узнал их сразу и понял, что его давние сны стали реальностью в тот день, когда братья, как снопы во сне, пали пред ним (Быт. 37:7). И он, прошедший долгий путь развития и совершенствования, был вынужден признать, что его братья остались прежними. Для меня братья Иосифа олицетворяют людей, которые выбрали остановку в своем развитии. К сожалению, таким людям однажды приходится лишь наблюдать за теми, кто, как Иосиф, двигался дальше. На этом этапе истории Иосифа я могу лишь повторить, что остановка человека в своем развитии, представляет серьезную дилемму. Если я сегодня спрошу своих детей, чему я их научил, то думаю, что все они ответят, что никогда нельзя останавливаться на достигнутом. Все они до сего дня с успехом следовали моим отцовским советам.

То, что братья не узнали Иосифа даже после их разговора с ним, делает повествование еще более захватывающим. Мы не знаем, что заставило Иосифа так поступить, но сначала он использовал это для психологического давления. Он назвал из шпионами, которые прибыли, чтобы разведать слабости Египта. Никакие заверения братьев не меняли этой позиции. Иосиф отправил их под стражу на три дня (Быт. 42:7-17). Эти три дня можно рассматривать как своего рода ссылку на три кризиса Иосифа. Теперь они могли сами прожить то, в чем жил он, правда, в течение более длительного времени.

Эти три дня принесли им немало страхов и тревог, но Иосиф не был похож на них. Он не желал их смерти, как когда они желали ему ее, потому что он боялся Бога (Быт. 42:18). Через три дня он освободил братьев из-под стражи и дал им четкие указания (Быт. 42:19-20). Один из них должен был остаться, в то время как другие отправиться домой с зерном, и вернуться в Египет с младшим братом Вениамином. Так они должны были доказать правдивость своих рассказов, которая и так была известна Иосифу. Суровые требования Иосифа повергли братьев в уныние и отчаяние, ведь им придется уступить этим требованиям, чтобы остаться в живых (Быт. 42:20).

Что заставило Иосифа устроить эту запутанную игру с братьями? Сначала кажется, что это месть. Но она не вписывается в характер человека, который в остальном является образцом для подражания. Возможно, он хотел проверить, готовы ли они продать еще одного брата, чтобы вынуть из петли себя. Каким бы ни был его план, его действия заставили братьев заговорить о своем прошлом и задуматься о нем (Быт. 42:21). В присутствии Иосифа они признали свою вину в действиях против своего младшего брата, не ведая, что он их понимает.

> *И говорили они друг другу: точно мы наказываемся за грех против брата нашего; мы видели страдание души его, когда он умолял нас, но не послушали; за то и постигло нас горе сие.*

> *Бытие 42:21*

Для Иосифа этот момент был настолько волнующим, что слезы нахлынули на его глаза. Именно здесь мы впервые сталкиваемся с плачущим Иосифом. Сколько долин он прошел, в которых несомненно хотелось рыдать, но именно теперь, когда его братья признали свою вину, чувства охватили его (Быт. 42:24). В этом же мы видим подтверждение того, что Иосиф примирился со своим прошлым, а потому в состоянии не проявлять ни жестокосердия, ни горечи.

После того как Иосиф установил условие их возвращения, он позаботился о том, чтобы братья получили и свое зерно, и продукты на дорогу. И сверх того он велел положить им их деньги в их мешки (Быт. 42:25). О чем думал Иосиф, рассказчик нам не раскрывает. Было это проявлением гостеприимства? Хотел ли он таким образом им показать, что они его гости, и они могут разделить с ним его богатство? Или это был своего рода шахматный ход

Иосифа, чтобы напугать их еще больше, и тогда он мог бы увидеть вернуться ли они за Симеоном, который оставался под стражей? Может, их страх будет столь велик, что они его бросят. Ответ остается скрытым, но мы видим, что братья встревожились еще больше: «И смутилось сердце их, и они с трепетом друг другу говорили: что это Бог сделал с нами?» (Быт. 42:28). Из этого видно, что они так пока и не были готовы, принять на себя ответственность за свои действия. Опечаленные они отправились на Родину, чтобы сообщить отцу Иакову плохие новости.

Вторая поездка не могла начаться сразу, потому что Иаков отказался отдавать Вениамина. Только после того как иссякло зерно из Египта, и у него не осталось другого выбора, он позволил взять с собой Вениамина (Быт. 43:1-10). В качестве компенсации за деньги, найденные в мешках, мудрый отец дал им вдвое больше денег, а также подарки для сурового египетского чиновника. Возможно, он хотел умилостивить его, если он вдруг обвинит его сыновей в воровстве (Быт. 43:11-15).

Вероятно путешествие в Египет далось братьев далеко не просто, но рассказчик не вдается в подробности. По прибытию в Египет они сначала встретились с домоправителем Иосифа. Братья опасались худшего из-за денег, которые были в их мешках. Но домоправитель дал им очень странный ответ:

> *...будьте спокойны, не бойтесь; Бог ваш и Бог отца вашего дал вам клад в мешках ваших; серебро ваше дошло до меня.*
>
> *Бытие 43:23*

Управляющий домом однако знал, что это Иосиф распорядился положить серебро в их мешки. Почему Бог так действовал? Это имеет смысл только в том случае, если домоправитель так же, как и все египтяне, не упускал из виду, что Бог Иакова всегда сопровождал чиновника Иосифа. Теперь братья получили Божье благословение благодаря дару Иосифа. Но и тут у них и мысли не возникло увидеть в столь высокопоставленном чиновнике их брата Иосифа.

Когда Иосиф пригласил их своему столу, снова исполнились его сны, ведь его братья несколько раз поклонились ему до земли (Быт. 43:26-28). Иосиф сначала спросил их о благополучии их отца. То, что этот высокопоставленный чиновник интересуется их отцом кажется странным даже читателю, если он ставит себя на место братьев. Но они по-прежнему не подозревают, что за политиком такого ранга скрывается их брат. Они не заподозрили ничего и тогда, когда Иосиф увидел своего брата Вениамина и не смог сдержать чувств настолько, что был вынужден немедленно покинуть комнату, так как был тронут до слез. Он старался держаться изо всех сил, но попал в ловушку и бросился наутек (Быт. 43:29-30).

Они сели все вместе за стол для трапезы. И тут рассказчик упоминает, что египтяне-то на самом деле не ели вместе с евреями, поскольку это было для них мерзостью (Быт. 43:32). А этот египтянин сел за один стол с евреями. По идее тогда братьям должна была прийти в голову мысль, что вероятно этот высокопоставленный чиновник – не египтянин. Ну зачем египетскому чиновнику высшего ранга трапезничать вместе с ними? Даже когда они увидели, что их рассадили по старшинству, они удивились, однако никакой догадки не промелькнуло в их головах. И даже когда их брат, самый близкий к Иосифу, получил свою порцию почета, они ничего не заметили (Быт. 43:33). А ведь Иосиф явно хотел, чтобы они узнали в нем брата, дающего дары. Читатель в этот момент может лишь недоумевающе покачать головой.

И вот они сидели, ели и пили вместе. Казалось, что заботы поездки в Египет растворились. Но на следующий день их ждало неприятное пробуждение. Иосиф снова велел наполнить мешки зерном, и снова через своего управляющего вернул серебро. Но теперь он распорядился положить серебряную чашу в мешок Вениамина, что позволило бы обвинить братьев в воровстве (Быт. 44:1).

Как только они отправились в путь и покинули город на следующий день, Иосиф отправил за ними погоню, и обвинил их в предполагаемом преступлении. Обвинение Иосифа было в том, что они отплатили злом за добро. Более того, чаша имела для него особое значение, потому что он по ней предсказывал будущее (Быт. 44:3-5).

Спрятанный предмет обнаружили сразу, как только обыскали мешки братьев (Быт. 44:13). В третий раз они возвращаются в Египет, исполненные страха, и падают ниц перед Иосифом. После того как Иосиф пережил три серьезных кризиса, они должны были пройти тот же путь, пусть длительность их кризисов была значительно короче. Когда они снова предстали перед своим братом, Иуда отказался от всяких оправданий:

> *«...что нам сказать господину нашему? что говорить? чем оправдываться? Бог нашел неправду рабов твоих; вот, мы рабы господину нашему, и мы, и тот, в чьих руках нашлась чаша.»*

Бытие 44:16

Заявление Иуды можно рассматривать как неоднократное признание вины. Не кража чаши привела их в такую ситуацию, а попытка продать Иосифа. Именно это имел в виду Иуда, когда говорил, что Бог нашел их неправду, их беззаконие. Поэтому он предложил всех братьев в качестве рабов, потому что они все были виновны, и видели Божий суд в этом странном конфликте.

Тогда Иосиф возразил ему, что за этот поступок должен отвечать только Вениамин, став рабом. Иуда же объяснил в своей длинной речи их безвыходное положение (Быт. 44:18-34). Для них не было пути назад без Вениамина. Отец не перенесет удара от потери еще одного сына своей любимой женщины. Поэтому Иуда предложил себя в качестве раба вместо Вениамина.

Несмотря на всю неразбериху вины и невиновности, братья не позволяли кому-то уйти, а кому-то остаться, и поддерживали до последнего своего младшего брата. Иосифу пришлось признать, что они уже не были такими, какими были когда-то, когда искали его смерти. Теперь они заступались друг за друга. Иосиф не мог уже более сдерживаться, отослав всех, кроме братьев он разрыдался и сказал им те слова, которые давно хотел произнести: «Я Иосиф» (Быт. 45:3).

Казалось бы эта сжатая до предела информация должна была сорвать все пелены, но это практически парализовало братьев, они ничего не могли сказать в ответ. Очевидно в их головах пронеслось множество вопросов: что это может значить для них? Их брат жив. Им не нужно продолжать жить с мыслью, что его смерть на их совести. Но ведь их сновидец был прав, они склонялись перед ним до земли, и у него была власть над ними. Жаждал он мести? Что бы теперь с ними было?

Практически сразу они поняли, что Иосиф не желал мстить. Он призвал их к себе, чтобы сократить расстояние, которое было между ними, и утешил их:

> *...но теперь не печальтесь и не жалейте о том, что вы продали меня сюда, потому что Бог послал меня перед вами для сохранения вашей жизни...*

> *Бытие 45:5*

В общей сложности Иосиф трижды повторяет, что в Египет отправили его не братья, а Сам Бог (Быт. 45:5,7,8). Как же понимать эти утверждения Иосифа, если очевиднее некуда, что именно его братья устроили ему такой жизненный путь? Пытался Иосиф выставить Бога козлом отпущения за вину братьев? Нет, за годы своих темниц и возвышений Иосиф узнал Божью работу. Он никогда не оставался один, его Бог был с ним всегда, сопровождая его и действуя через него, обращал в конечном итоге зло людей во благо. И снова становится ясным, что Иосиф примирился с той дорогой в Египет и со своими трудными временами в Египте. Эти сложные дороги стали «его» жизненным путем.

Довольно отчетливо видно, что все эти этапы совершенствования Иосифу пришлось пройти, чтобы он мог что-то передать своей семье и другим людям. Он сам подчеркивал, что сохранение жизни многих людей было причиной такого его карьерного продвижения (Быт. 45:5,7).

После того, как он открылся своим братьям, он одарил их всем тем, что они отняли когда-то у него: особой одеждой (Быт. 45:22). Каждый из братьев получил перемену одежды, а Вениамин пять и к тому же триста сребреников. С этими дарами и обильной едой отправил он братьев обратно к Иакову, чтобы забрать и его в Египет, потому что фараон обещал семье Иосифа лучшие из его земель. Однако глядя на дары Иосифа можно задаться вопросом, может, он не всему научился? Как и отец он предпочитал своего младшего брата, которым был ему ближе, чем остальные. Но на самом деле он имел полное право дарить больше родному брату и по отцу, и по матери, и другие братья должны были понимать, что этого у них не отнять.

Хотя Иосиф видел, что его братья ведут себя все же не совсем так, как раньше, он все равно наставил их, отправляя за отцом: «Не ссорьтесь в пути» (Быт. 45:24). Возможно, его доверие к ним еще не полностью восстановилось, а после последних недель, насыщенных событиями, появилось немало поводов для разговоров. Но в этот раз братья в согласии добрались домой и пришли к своему отцу Иакову, который поначалу не мог поверить их рассказам. Только увидев груженые повозки, которые Иосиф послал за ним, чтобы забрать в Египет, он начал понимать, что это не было плодом воображения его сыновей (Быт. 45:26-28).

О воссоединении Иосифа и его отца вкратце говорится в главе 46, стихе 29. Сначала повествуется о путешествии Иакова, его детях и внуках. Беспокойство автора, казалось, было больше связано с описанием переселения семьи Иакова, нежели с его воссоединением с любимым сыном.

История Иосифа не закончилась на этом пункте. Она оставалась по-прежнему интересной, и можно о ней еще немало написать. Но давайте расстанемся с ней в ее кульминации, и вернемся к теме развития человека, рассмотрев выводы, которые можно сделать, опираясь на становление Иосифа.

6.2 Передавая достигнутое и осваивая новое

«Нет ничего более постоянного, чем перемены» – сказал, вероятно, древний античный философ Гераклит Эфесский. Любому понятно, что в этом утверждении есть доля правды. Технический прогресс, например, шествует семимильными шагами, оставляя за собой ощущение, что компетентность широких масс уже не является неотъемлемой частью этого процесса. В моем возрасте необходимо постоянно работать над своей медийной грамотностью. Но лучше всего постоянство перемен иллюстрируют заявления прошлых лет.

В 2001 году австрийская газета «Der Standard» привела цитату футуролога Маттиаса Хоркса, утверждавшего, что у интернета нет ничего, что позволило бы ему стать средством массовой информации. «Он слишком сложен и перегружает людей технологическим и информационным разнообразием.» – так считал Хоркс. Менее чем через десять лет ему пришлось осознать, как сильно он ошибался. Сегодня это высказывание может вызвать разве что улыбку.

19 января 1989 года Эрих Хоннекер – председатель Государственного совета ГДР сказал: «Стена останется на месте и через 50 лет, и даже через 100, если не будут устранены причины ее появления»[7]. К счастью, к концу того же года все изменилось.

Список таких крупных заблуждений можно продолжать бесконечно. Перемены наступают независимо от того, хотите вы этого или нет. Это касается не только руководителей, но любого человека. Поэтому уже подходя к зениту своей карьеры, человеку сто-

----

7 *Речь о Берлинской стене, которая пала в ночь с 9-го на 10-е ноября 1989. Берлинская стена была сооружена в 1961 году и была многие годы символом противостояния Восточного социалистического лагеря и Западного мира. (прим.переводчика)*

ит задать себе вопрос, что будет дальше. То, что прошлые заслуги не являются гарантией будущих, я уже объяснил. Так что, если Вы хотите, чтобы созданное Вами имело будущее, то следует подумать о том, кто продолжит Ваше дело. Если на этом этапе не передать достигнутое в виде знания, мудрости или даже благ, то есть риск погубить собственный труд. Карьера никогда не должна заканчиваться похоронами своего собственного труда или сложением с себя всего, чтобы уйти на пенсию.

Как и в случае с Иосифом одной из целей всякого призвания и достижения является распространение достигнутого, потому что оно предназначено для благословения других. Если бы Иосиф не передал полученное им благословение, то его семья погибла бы. Но она и последующие поколения были были спасены благодаря тому, что он передал дальше то, ради чего он столько всего прошел.

Для того, чтобы собственные достижения продолжили свой путь и не были бы напрасными, их необходимо передать дальше. Но это возможно лишь в том случае, если лидер вовремя передаст эстафету. Точно так же и для решения следующей задачи нет необходимости начинать с нуля самому, но можно найти людей, которые поделятся своими знаниями и опытом. В следующей части книги я рассмотрю это на примере Иисуса Навина.

Успешная передача достигнутого не является конечным пунктом в спирали совершенствования. Это ее новое начало, а если подготовка к новому уже была частью последнего поручения, то начинается снова этап вдохновения.

Сейчас я довольно быстро приближаюсь к выходу на пенсию, что позволяет мне оглянуться на долгие годы хорошего служения. Общество пытается мне внушить, что я иду к своей смерти, и пора сесть и сложить руки. Но какая тогда от меня польза ближним и делу Христову? К тому же людям, не приносящим более пользы, трудно найти смысл в своей жизни. Но для верующего не это должно стать стимулом в поиске следующего поручения. Время, отведенное нам здесь на земле коротко и ценно. Как христианин, уже не я являюсь господином своей жизни, но передал это право Господу Христу.

В Новом Завете не так уж много текстов, в которых Иисус, Бог гневаются. Согласно притче Иисуса о богатом земледельце (Лк. 12:16-21), Бог особенно разгневался, когда речь зашла о богатстве и пенсии.

Эта притча рассказывает о богатом человеке, владеющем землей. Однажды он собирает особый урожай (Лк. 12:16). Вероятно можно говорить о небывалом урожае, потому что он собирает гораздо больше, чем ему вообще было нужно. Этого богатства он достиг абсолютно законным путем. Он не сделал ничего неправильно, в отличие от предпринимателя, занимающегося специфическим бизнесом и накапливающим за короткое время большое богатство. Он запланировал снести свои житницы и построить большие, чтобы в них разместить свое богатство (Лк. 12:18). Где еще он должен размещать свой урожай? Не может же он оставить все это просто гнить. И тогда он говорит себе: «душа! много добра лежит у тебя на многие годы: покойся, ешь, пей, веселись» (Лк. 12:19). Он уверен, что достиг всего. Он обеспечен полностью. Ему больше не придется работать. Никогда. Такое обеспечение обезопасить его жизнь, можно уже уходить на пенсию. Теперь он будет наслаждаться жизнью.

Наконец-то, он оказался там, куда так много людей мечтают попасть. Немецкая мечта о финансовой независимости стала для него реальностью. Теперь он сможет взять отпуск без конца, путешествовать по миру, купить себе машину побольше. Все, что его сейчас волнует: как наслаждаться жизнью. По-видимому, он верит, что радость жизни приходит с богатством и безопасностью.

Этот монолог завершается после изложения видения о спокойном выходе на пенсию со всеми удобствами. Читатель тоже может подумать, что окончание притчи будет столь же чудесным. Богатого земледельца не в чем упрекнуть, любой бы, скорее всего, хотел оказаться на его месте.

Но тут происходит нечто невероятное. Внезапно в эти мечтания о будущей жизни врывается Бог. Возможно, Бог даже прерывает земледельца в его разговоре с самим собой и выводит из состояния мечтательности: «Безумный! в сию ночь душу твою возьмут у тебя; кому же достанется то, что ты заготовил?» (Лк. 12:20).

Что, простите? Неужели Бог назвал этого богача безумцем или глупцом? Краткое повествование не передает реакцию богатого человека на речь Бога, но я могу представить себе как резко он онемел. В то время слово «безумец» или «глупец» отсылало к Псалмам, в которых безумцем назван тот, кто даже образом своей жизни отрицает существование Бога и не пытается рассчитывать на Божье вмешательство (Пс. 13:1; Пс. 52:2). Бог обращается в этой притче к человеку с серьезным тоном, и к тожу же сообщает совершенно неожиданную новость: он умрет этой же ночью. Так разлетелись внезапно все мечты.

Под конец Бог еще и вопрос задает, кому теперь будет принадлежать все то, что этот человек хотел накопить, заставляя его задуматься. Один ответ напрашивается сам собой: точно не ему.

Теперь этого человека даже жалко. Что он сделал плохого? Что Иисус хочет сказать нам этой притчей? Во-первых, можно ясно и четко увидеть, что Бог управляет жизнью и смертью. Он устанавливает пределы жизни. Богу известно, что время этого человека подошло к концу, потому что он ясно дал понять, что от него уже нечего ожидать. Очевидно, оставшееся время он решил использовать безо всякой пользы. Бог решил, что его время пришло.

В этом контексте интересно высказывание, что душу или жизнь «потребуют обратно»[8]. Слово, которое использует в притче Иисус, означает требование на законных основаниях, а не чего-то, что не принадлежит владельцу. Здесь явно говорится о владельце, который требует свою собственность. Таким образом, Иисус хочет сказать этой притчей, что Бог – Господин жизни. Он не только Господин над смертью, но и полноправный Хозяин жизни. Имеет ли смысл при таком положении копить богатства и не планировать ничего конструктивного в своей жизни? Даже не религиозный человек согласится со мной, если я скажу, что перед лицом смерти поступать таким образом явно неправильно. Богатый земледелец

---

8 *Слово apaitéō, переведенное в Синодальном переводе как «возьмут», может быть переведено как: «Требовать назад, брать обратно» (прим.переводчика).*

совершает еще одну ошибку, он верит, что богатство дает радость в жизни, но об этом упоминается вскользь.

Иисус завершил притчу словами: «Так бывает с тем, кто собирает сокровища для себя, а не в Бога богатеет» (Лк. 12:21). Судя по всему для Иисуса «собирать сокровища для себя» и «богатеть в Бога» – это противоположности. Он располагает на разных полюсах – думать только о себе и думать о делах Христовых. И тут стоит подчеркнуть, что нет ничего предосудительного в том, чтобы быть богатым. Новый Завет сообщает о богатых христианах, не осуждая их (например, Мф. 27:57, Лк. 7:1-10). Но ошибочно полагать, что верующий человек может планировать свою жизнь эгоистично.

Во время написания этой книги я беседовал с коллегой об этой притче, и вдруг для него кое-что прояснилось. Буквально за год до этого разговора у него было похожий опыт. В дополнение к своей пасторской работе он является предпринимателем. Благодаря неожиданному стечению обстоятельств он смог получить большую прибыль в своем деле, намного больше, чем ожидал. Он не стал богатым в одночасье, но его горизонт расширился, и он понял как можно заработать еще больше. Это чувство было для него в новинку, потому что будучи пастором ему многие годы приходилось держать свои финансовые расходы в определенных рамках.

Конечно, пасторская деятельность приносит с собой свои вызовы. Список трудностей, которые приходится преодолевать пастору довольно длинный. Каждый член этой гильдии может это подтвердить. Будучи пастором человек находится под огнем критики, вынужден выполнять различные роли, ведь у прихожан всегда есть свои ожидания и представления о пасторе. Некоторые из этих ожиданий весьма спорны. Например, некоторые считают, что пастор обязан быть доступным 24 часа семь дней в неделю независимо от того, как это отражается на его семейной жизни, его успешность измеряют количеством людей, которых он может собрать в помещении. В целом, к пастору применяются иные стандарты, нежели к другим христианам, хотя он всего лишь «первый среди равных».

Все эти обстоятельства заставили его задуматься о том, чтобы отказаться от пасторства со всеми его тяготами, и наслаждаться жизнью в достатке. Как только его посетила эта мысль, он поделился ею с друзьями. В ту же ночь, несмотря на совершенное спокойствие извне, он проснулся с приступом паники без какой-либо видимой причины. Он описывал это как сильное сердцебиение и нехватку воздуха. У него возникло неожиданно такое чувство беспомощности и смертельного страха, что он разбудил жену на случай, если понадобится скорая помощь. Никогда ранее он не испытывал ничего подобного. «Как будто Бог говорил мне, что я могу идти домой, если я не хочу ничего больше совершать на земле. Притчу о богаче я читал и с того времени уже не один раз, но мне и в голову не приходило связать ее с тем событием. И только теперь, когда ты рассказал мне о своей книге и этой притче, будто чешуя спала с моих глаз!»

Той бессонной ночью он переосмыслил свои планы для жизни и на собственном опыте убедился, что последователям Христа нужно вовремя ставить под сомнение свои собственные эгоистичные цели. И хотя мой коллега в тот момент не думал о притче о богатом земледельце, в ту ночь он прожил ее смысл. Христос призывает нас тщательно и своевременно обдумывать планирование своей жизни.

Внимательный читатель Библии наверняка обратил внимание, что эта притча по содержанию похожа и на другие притчи Иисуса (ср. например, Мф. 25:1-13; Лк. 19:12-27), но я остановлюсь лишь на упоминании одной.

Начало нового цикла развития всегда связано с напряжением, потому что для нового начала необходимо определенное преодоление. Человек снова попадает в состояние начинающего, и вынужден мириться с ошибками и исправлениями. Как я уже упоминал, это довольно неприятно, но образование и развитие редко бывают приятными. Это мы уже прошли.

То, что дает свет, должно выдержать горение.

Виктор Франкл

Мне самому знакомо то, о чем я пишу. Мой последний диплом я получил в 51 год, но и потом продолжал учиться, посещая различные курсы и получая разнообразные сертификаты. Аттестаты и награды никогда не были мне интересны. Для меня были важны инструменты, которые мне передавались во время обучения. Они были незаменимы для выполнения моих новых задач, потому что я понимал, что несмотря на достижения в одной области, я был совсем зеленым в другой, новой, которую мне поручал Христос. Только благодаря дальнейшему обучению мне удавалось выбраться из очередной ямы, и в конечном итоге, выполнить Божье видение. В процессе работы я не единожды убеждался в том, что никогда не поздно начать все сначала. Потому я и решил открывать себя заново снова и снова.

? ВОПРОСЫ ДЛЯ ЛИЧНОГО РАЗМЫШЛЕНИЯ

1. Можешь ли Ты подобно Иосифу принять из Божьих рук трудные этапы своей жизни? Если нет, то почему...
2. Какова Твоя истинная цель жизни? Будь честен с собой.
3. Начинать цикл совершенствования нелегко. Помнишь ли Ты ситуацию, когда Тебе пришлось начать все сначала?

Часть 2:
Иисус Навин.
Характерные черты
и изъяны духовных
руководителей

Моисей является ключевой фигурой и иудейской, и христианской теологий. Его книги стоят в начале Библии, а Тора тесно переплетена с его личностью. Беседы Бога с ним – самые длинные в Библии, и именно ему Бог открывает Свое Имя. В Библии у Бога много имен, но то, которое Он открывает Моисею – это не имя, данное Ему людьми, а Его собственное. Поэтому неудивительно, что Торе в иудаизме и по сей день придается большее значение, чем остальным книгам Ветхого Завета. С биографией Моисея Израиль, как народ, обретает совершенно иное представление, а также новые отношения с Богом.

У этого чрезвычайно выдающегося человека был «личный помощник» во времена хождения Израиля по пустыне, которому он и передал всю ответственность в конце своей жизни. Им был Иисус Навин.

После исхода Израиля из Египта читатель встречается с Иисусом Навином, когда тот был еще юношей (Исх. 33:11). В этом же стихе мы получаем намек на то, что Иисус Навин всегда стремился быть ближе к Богу. Вероятно, это в значительной степени способствовало тому, что Иисус Навин стал лидером, на которого была впоследствии возложена значительная ответственность. Но до этого Иисус Навин, подобно Иосифу, прошел стадии роста, которые были необходимы для его развития, и в конечном счете помогли ему руководить столь большим обществом, принимать обдуманные решения, предоставлять уверенность и безопасность и ввести народ в Землю Обетованную. История Иисуса Навина тоже показывает, что все эти процессы происходили не за короткое время, лишь десятилетия спустя он был готов стать преемником Моисея. За это время он проявил себя в многочисленных заданиях как верный, надежный, добросовестный и ценящий людей лидер.

Я предполагаю, что Иисус Навин был ровесником Халева. Когда тот исследовал Землю Ханаанскую, ему было 40 лет (Нав. 14:7). Иисус Навин служил народу Израиля до глубокой старости и умер в возрасте 110 лет (Нав. 24:29). Вероятно, Иисус Навин служил Моисею в течение сорока лет, пока не получил главную ответственность за народ Израиля и не стал преемником Моисея. К тому времени он достиг возраста 80 лет.

В христианстве Иисуса Навина часто превозносят как героя веры и подчеркивают его мужество, однако подчас игнорируют тот факт, что Иисус Навин, как и Иосиф, прошел свой многолетний путь совершенствования. Жизнь любого человека состоит из процессов, и мы можем учиться на этапах развития Иисуса Навина. В отличие от Иосифа ошибки Иисуса Навина были очевидными. Однако благодаря этой очевидности они так поучительны для лидеров, потому что это те ошибки, которые лидеры совершали во все времена, и продолжают совершать до сего дня. Вот почему история Иисуса Навина, как и история Иосифа, – повествование на все времена и обращено ко всем людям, хотя у нас и не столько деталей биографии Иисуса Навина, как это было с Иосифом.

1 Проявление способностей с юности

1.1 Первая битва – большая ответственность

Как мы уже выяснили, Иисус Навин встречается нам не только в одноименной книге Библии, но и в дальнейшем повествовании уже вскоре после выхода из Египта. Когда народ Израиля прибыл в Рефидим, ему пришлось впервые за время своего пути по пустыне вступить в военный конфликт. С ними сразились амаликитяне (Исх. 17:8). Именно в связи с этой битвой Иисус Навин упоминается впервые. Моисей поручает ему собрать людей для сражения и повести за собой (Исх. 17:9). Таким образом, Иисус Навин довольно рано начал служить Моисею. В своих рядах он имел звание уровня генерала. Поэтому он, очевидно, уже был признанной личностью, когда Моисей назначил его. И хотя Библия не говорит об этом прямо, можно понять, что Моисей вряд ли мог доверить такое поручение неизвестному и неопытному новичку, да и израильтяне вряд ли пошли бы в битву за кем-то неопытным.

Нам неизвестно, видел ли Моисей преемника в Иисусе Навине уже так рано. Но очевидно, что он стал хорошим преемником. А вот сам Иисус Навин не преуспел в поиске преемника, в чем совершил большую ошибку. Моисей явно видел в Иисусе Навине доброго помощника, и с годами их совместного служения из Иисуса Навина формировался мудрый лидер, так что в конце своего пути Моисею не составило труда решение о назначении своего преемника.

Хотя я буду говорить об этом позже, здесь я хотел бы подчеркнуть, что поиск преемника необходимо начинать заблаговременно. Неразумно начинать его к концу жизни или периода служения. Часто довольно трудно быстро найти преемника, и приходится довольствоваться временным решением. Каждая организация – будь то церковь или предприятие – нуждается в соответствующем продвижении молодых, распознавании и поддержке талантов, если она хочет оставаться успешной длительное время. Это продвижение подрастающего поколения должно осуществляться с доброжелательностью и восхищением. Человеку свойственно принижать других. Однако умаление людей показывает страх и недостаток компетентности.

Моисей рано распознал дары и потенциал Иисуса Навина. Это нелегкая задача, ведь всякая личность является индивидуумом с своими талантами. Они в свою очередь развиваются не одинаково и не в одной сфере деятельности, поэтому необходим дифференцированный подход к каждому. Самым важным инструментом в достижении этого является умение дистанцироваться от своих личных пристрастий и предпочтений. Если человек не может держать дистанцию к тому, что ему ближе и симпатичней, то ему будет сложно принимать мудрые решения в этом вопросе. Часто ожидания, возлагаемые на последующее поколение, слишком велики, а свои собственные способности по наставничеству переоцениваются.

В предпринимательстве любят говорить об «педагогическом оптимизме». Руководители часто считают, что любой неограненный алмаз при правильном обучении может стать подходящим преемником. При этом совершенно упускается из виду, что главным препятствием для успешного обучения является сам обучаемый. Конечно, технические знания и опыт можно приобрести, но характер совершенствовать гораздо сложнее. Например, таким качествам как эмпатия или общительность, трудно научиться. Однако они незаменимы для лидера. Именно определенным чертам характера трудно научиться, даже если все остальные предрасположенности кажутся идеальными.

Мне тоже пришлось пройти через собственный болезненный опыт такого рода. Я верил, что люди вокруг меня и в сотрудничестве со мной будут меняться в лучшую сторону, расти, но мне пришлось осознать, что я был слишком самонадеян и убежден в своих способностях, за что и поплатился. Эти люди были гигантами теории. Они могли мне объяснить как все функционирует, но мало что из всего могли реализовать. Я должен был осознать, что даже

Бог соблюдает границы человеческого характера. Христос может изменить характер человека лишь настолько, насколько тот сам позволит. Далеко не каждый встречает Христа так, как встретил Савл из Тарса по дороге в Дамаск, когда после пережитого он уже не мог не думать о себе по-новому. Поэтому разумнее взять пример с Моисея и выбрать того, кто уже зарекомендовал себя в определенной области (Лк. 16:10-11).

В контексте церкви я уже много лет наблюдаю следующий феномен: кто-то, кто является частью общины уже долгое время, призывается к лидерскому служению на основании его верности и накопленному опыту. Апостол Павел неоднократно говорит о людях, способных вести за собой (Рим. 12:8; 1 Тим. 5:12; 1 Тим. 3:1-13). Для лидерства необходимы определенные качества характера и навыки, которые не появляются в одночасье. «Быть долго в церкви» не принадлежит к таким качествам. Перенесите подобный сценарий, например, в область профессионального спорта: здесь тоже очевидно, что далеко не каждый хороший спортсмен становится хорошим тренером. Люди могут научиться всему, но на это требуется время. Некоторым вещам стоит учиться в раннем возрасте. Однако прежде всего необходима личная готовность учиться новому и отказываться от старых моделей поведения. Эту готовность лидер не может навязывать никому, потому что если желание не родится в самом человеке, ничто не обеспечит успешность.

Сражение с амаликитянами не было ни сражением Иисуса Навина, ни сражением Моисея, как мы видим из текста: «Ибо, сказал он, рука на престоле Господа: брань у Господа против Амалика из рода в род» (Исх. 17:16). Не захватническую войну ведет Яхве против Амалика, Он просто защищает свой народ от нападающих. Яхве верен Своему обещанию защищать Израиль. В какой мере амаликитяне осознавали, что они сражаются с Яхве – неясно. По крайней мере, они потерпели горькое поражение, тогда как Иисус Навин вышел из нее с определенным опытом. С одной стороны, он мог снова убедиться в Божьей верности Своему народу. С другой, он должен был понять, что не одна лишь военная сила решает победу на поле боя, но Яхве. Вероятно, Иисус Навин старался быть хорошим полководцем или генералом, и он испытал облегчение и радость от исхода битвы, но его наставник Моисей дал ему ясно понять, что не его это заслуга (Исх. 17:14).

То, что Моисей изменил имя Иисуса Навина, тоже должно было ему вновь и вновь напоминать об этих фактах. Первоначально Иисуса Навина звали Осия, что означает «спасение» (Чис. 13:9). Однако Моисей считал более подходящим для него имя Иисус, что означает «Господь есть спасение» (Чис. 13:17). Этим Моисей предоставил ему возможность понять, что не он является спасителем, но Бог. Смирение к лицу каждому. Иисусу Навину пришлось этому научиться в начале своего служения.

1.2 Взаимоотношения с наставниками и другими людьми

Следующая библейская сцена, в которой мы встречаем молодого Иисуса Навина – это заключение завета на Синае. Бог повелел Моисею взойти на гору Синай, чтобы получить скрижали завета. Моисея должны были сопровождать руководители Израиля: «Аарон, Надав и Авиуд и семьдесят из старейшин Израилевых». Но не всем разрешалось подняться до конца, некоторым можно было подняться лишь до определенного места (Исх. 24:1-2). А Иисусу Навину позволялось подняться еще дальше (Исх. 24:13-18). На горе Моисей и Иисус Навин ждали шесть дней, прежде чем Моисей вошел в облако Божьего присутствия и оставался там сорок дней и сорок ночей. И хотя не сообщается как именно провел Иисус Навин дни пребывания Моисея в Божьем присутствии, очевидно, что и для него это был период становления, который показал ему Божье присутствие каким-то новым для него образом. Когда через сорок дней Бог отослал Моисея обратно в стан, потому что народ согрешил против Бога, начав поклоняться золотому тельцу (Исх. 32:7), мы видим Иисуса Навина не покидавшим Моисея.

Моисей, как наставник Иисуса Навина, позволил будущему лидеру принять участие в столь важных событиях. Иисус Навин описан в этих сценах как «слуга» Моисея, хотя уже ясно, что он к тому времени был больше, чем просто слуга, и не единожды Моисей наделял его ответственностью. Таким поведением Моисей являет нам пример наставника, вкладывающего себя в Иисуса Навина, и позволяющего ему полностью участвовать в своем служении. К тому времени, как стать наставником, Моисей уже многому научился, в том числе и осознанию собственной ограниченности. Потому и мог Иисус Навин расти и готовиться к выполнению поручения, предназначенного Богом для него (Чис. 27:18-21), хотя к тому времени он уже и сам был признанным лидером. Тот, кто хочет обучать людей и оставить в их жизни неизгладимый след, не сможет избежать того, чего не избежал и Моисей.

Наставники или менторы – это те люди, которые сопровождают других в процессе их обучения. Характерным в их поведении являются – служение, даяние и поощрение. У них есть четкое представление о людях и процессах их развития, а также о том деле, за которое они берутся. Есть немало людей, которые охотно учат других. Это довольно почтенное желание, но для того, чтобы быть хорошим наставником недостаточно этого желания. Также недостаточно понимать теорию, пройдя какой-нибудь тренинг или даже получив образование. Хорошие наставники – это личности, которые могут опереться на свой опыт и собственные достижения. В процессе наставничества люди получают пользу не от титулов и званий, но извлекают ее из знаний и опыта, обогащенных отношениями. Титулы могут открывать двери, но за Вами пойдут благодаря Вашей личности и тем навыкам, которыми Вы обладаете.

Наставник видит потенциал в другой личности и способен воодушевлять ее на пути жизненного становления. Подобно Моисею он готов подпустить ближе к себе своих подопечных, чтобы у них было представление о личной жизни наставника и его деятельности. На собственном примере он подготавливает своих учеников к жизни, но так, чтобы они оставались оригинальными, а не становились копией своего наставника. Такие лидеры могут посмотреть на себя со стороны и дистанцироваться от личных предпочтений. Они научились радоваться успеху других и не завидуют чужим победам. Конечно, они по-прежнему остаются несовершенными существами со слабостями и недостатками, знают, что не всегда обязаны контролировать ситуацию. Тем не менее они умеют четко руководить и вовремя отпускать.

Процесс наставничества состоит из «давать и брать». Работая плечом к плечу обе стороны обогащаются и развиваются, дополняя ресурсы друг друга. Моисей явно был таким наставником. В Торе ясно видно, что его заботила не столько его собственная персона, сколько дело.

Когда я думаю о своих отношениях с людьми, которые были и остаются моими учениками, вспоминая о процессе моей собственной учебы, то моя наставническая задача становится для меня еще яснее: я хочу, чтобы мои отношения с моими подопечными были хорошими. Это означает, что я должен относиться к ним доброжелательно и стремиться их поощрять. Я довольно часто сталкивался с тем, что люди не хотели мне содействовать и приближать меня к моему призванию, а просто хотели использовать мои дары и таланты в своих целях. Но это не то, чего бы я хотел или должен бы делать. Как учитель в Царстве Божьем я хочу встречать своих учеников доброжелательно, и поощрять их к росту в том, что для них предопределил Христос.

Ученики

Я уверен, что Иисус Навин рано осознал, что лидер может привести свое окружение только на ту высоту, которой внутренне достиг сам (ср. Лк. 6:40). К этому относится как личная компетентность, так и определенная духовная зрелость. Когда наставник в состоянии открывать для себя новые пределы, только тогда он сможет передать их дальше другим. Поэтому лидеры должны работать над собой. Иисус Навин долгое время находился посреди «великих» народа Израиля и мог учиться у них годами.

Я хорошо помню свое начало на ниве церковной работы в бывшем Советском Союзе. Мой отец часто брал меня в поездки, связанные со служением. Когда он в поездках встречался с другими лидерами, я с удовольствием слушал их разговоры. Хотя мы и были маленькой деревенской церковью, мы были связаны с материнской церковью, где было более 1000 прихожан. Мне было очень интересно слушать, как они обсуждали богословские или церковно-политические вопросы. Они затрагивали и такие темы, как процессы развития отдельных дочерних общин, трудности роста, конфликты, решение проблем и умножение церквей. Конечно, в то время я не слишком много понимал, чтобы участвовать в разговорах, но я сохранил многое из того, что услышал, и считаю, что те знания приносят мне пользу и по сей день. Готовность слушать и давать другим возможность формировать себя – это то, что должен освоить всякий наставляемый ученик.

Такую готовность учиться мы видим в Иисусе Навине. Например, когда он упоминается в четвертый раз в Библии. Это произошло у скинии, как я уже упоминал (Исх. 33:11). В этой главе рассказывается о Божьем присутствии в скинии. Моисей вошел в шатер, чтобы поговорить с Богом. В тексте об этом пишется, что Бог говорил с Моисеем как с другом (Исх. 33:9-11). Иисус Навин не отходил от Моисея, а в такие особенные моменты, он стремился быть рядом все время. Создается впечатление, что Иисус Навин вел себя как ученик во время учебы. Вероятнее всего так и было. В тот момент он был учащимся, которого готовят к будущему поручению.

Всякий, кто стремится занимать руководящую должность длительное время, должен как можно раньше обзавестись наставником. Этот человек должен быть выдающимся в своей области, чтобы на него можно было равняться и у него можно было бы учиться. Этот совет относится к любой сфере деятельности, в которой человек желает добиться успеха. Только с подходящим наставником можно стать мастером своего дела. Можно, конечно, и самостоятельно дойти до определенных высот, но для этого придется потратить гораздо больше сил и времени, кроме того есть большой риск, что захочется сдаться, потому что можно либо недооценить, либо переоценить свои возможности. Да и без совета хорошего наставника есть вероятность наделать ошибок, которых можно избежать при правильной поддержке. Хорошего наставника по праву можно назвать «срезанием» дороги, потому что с ним можно быстрее добраться до цели. Наверное, очень немногие предприниматели, спортсмены или священники добились успеха в одиночку. По крайней мере, я не знаю ни одного, кто бы достиг высоких результатов, если бы на его стороне не было одного или нескольких наставников.

Наличие наставника очень важно, но только наставник – это еще не все. Особенно если человек занимает руководящую должность, или стремится к ней. Для конструктивной жизни и хорошей карьеры необходимы и другие прочные взаимоотношения. Иисус Навин пользовался доверием в народе, поэтому можно себе представить, что у него были люди, которые его полностью поддерживали:

> *«...всё, что ни повелишь нам, сделаем, и куда ни пошлешь нас, пойдем; как слушали мы Моисея, так будем слушать и тебя...»*
>
> *Иисус Навин 1:16-17а*

В истории Иисуса Навина можно увидеть, что народ чтил его в первую очередь потому, что Бог действовал через него, как и через Моисея (Нав. 4:14). Это побуждало их следовать за ним даже в таких странных поступках, как при взятии Иерихона (Нав. 6). Итак, в случае с Иисусом Навином мы понимаем, что за ним стоял не только его наставник, но и другие лидеры, семья и друзья.

Жизнеспособные взаимоотношения необходимы лидерам, поскольку они могут обеспечить поддержку в жизненных бурях, которые рано или поздно приходят. Они дают защиту и обогащают благодаря корректировке и дополнениям.

К сожалению, мне приходится встречать лидеров, у которых мало или совсем нет друзей, даже внутри общины. Из-за того, что им приходилось разочаровываться, их обижали и ранили не раз в прошлом, они предпочитают держаться обособленно. А когда наступает очередной кризис, им приходится нести все бремя в одиночку, например, если их пошатнула болезнь. Но именно в такие времена очень полезно иметь друзей, которые приходят, молятся вместе с вами и оказывают духовную и практическую поддержку.

Для себя самого я сформулировал порядок, по которому я уделяю внимание своим отношениям с другими. Вот то, что представляет собой моя расстановка приоритетов отношений:

1. с Богом
2. с самим собой
3. с моей супругой и моей семьей
4. с моими друзьями
5. с моей церковью
6. в моей профессиональной среде.

О взаимоотношениях с Богом мы поговорим отдельно в главе 2.2.

На мой взгляд отношения с самим собой стоят на втором месте, поскольку другие отношения могут быть успешными только тогда, когда человек находится в мире с самим собой. В заповеди о любви к ближнему говорится о любви к себе (Мк. 12:31). Ведь возлюбить ближнего как самого себя можно, только научившись любить себя.

Как должны практически формироваться отношения с самим собой? Это начинается всегда с принятия себя и своей жизни. Жизнь – это не бремя, и можно быть благодарным за себя и свою жизнь. Можно смотреть в прошлое, чтобы учиться, а не жить в прошлом, не отводя от него взгляд. Жизнь находится в будущем, в прошлом уже нет жизни.

Без принятия себя или без согласия с собой человек будет пытаться найти компенсации своим недостаткам иными способами, например, жаждой признания или чрезмерным усердием в служении. Существует немало источников компенсации, но они все неэффективны, поскольку едины в одном: Они не дают того, что обещают. Более того, они делают человека бесполезным для Бога, когда играют основную роль в жизни, ведь именно Бог должен быть источником духовной жизни (Иер. 2:11-13).

Каждому брошен этот вызов, ну или предложение, работать над собой, помня, что человек желанен со всей его сущностью, внешностью и полом (Пс. 138:14-16). Принятие себя – это не что иное, как выбор, который нужно повторять снова и снова, принимая себя заново. Над изменениями такого рода необходимо просто трудиться.

На третьем месте, с моей точки зрения, находятся отношения с супругом или супругой. Для меня исправно функционирующая семья – это частичка рая. Никто не сомневается, что отношения двух любящих друг друга людей – одна из самых прекрасных вещей. Такое супружество – это место защиты, силы и дополнения друг друга, в которых люди формируют свою жизнь вместе. В супружестве человек может ощутить безопасность, понимание и признание, которых не может испытать ни в каких других отношениях.

Поэтому такие важные отношения будут подвергаться нападениям, особенно со стороны врага. К сожалению, если супружество не складывается, то оно может стать адом на земле. Эта тема настолько обширна, что для нее понадобилась бы еще одна книга. Однако я хочу подчеркнуть, что крепкие партнерские отношения невероятно важны для собственного развития и личностного совершенствования. Я регулярно провожу занятия с будущими пасторами и руководителями. Очень часто молодые люди задают вопрос, что бы я хотел передать им, и что особенно важно на данном этапе жизни. На мой взгляд выбор партнера – это самое важное решение после решения о Христе, потому что оно определяет будущее и успешность человека (Пр. 14:1; 25:28; 31:23). Никакие другие отношения не влияют на становление человека так сильно, как отношения с супругом или супругой.

Я хочу рассказать одну историю о бывшем президенте США и его жене. К сожалению, я не могу сказать подлинная она или нет. Однажды во время посещения ресторана первая леди захотела лично поговорить с владельцем ресторана. После разговора ее муж поинтересовался, что она с ним обсуждала. Она рассказала, что это был ее бывший одноклассник, в которого она была в свое время влюблена. Муж в шутку сказал, что если бы она вышла замуж за него, то была бы сейчас богатой владелицей ресторана.

На что она парировала: «Нет, если бы я вышла замуж за него, то сегодня он был бы президентом». На мой взгляд в этом анекдоте есть доля правды, даже если рассказанное всего лишь шутка.

Я очень благодарен моей Ирене, что она была и остается моим подкреплением, а не ослаблением. Я рекомендую людям, находящимся в отношениях, укреплять своего супруга или супругу, ведь это оказывает значительное влияние на его или ее развитие. Както я прочитал следующие слова, источник которых я не могу уже восстановить, но истинность могу подтвердить:

> *Юные девушки выходят замуж, потому что они красивы. Женщины в возрасте красивы, потому что любимы. Молодые мужчины женятся, потому что они полны жажды деятельности и целеустремленны. Мужчины в возрасте полны жажды деятельности и целеустремленны, потому что ими восхищаются.*

Супружество и семейная жизнь показывают, кем на самом деле является человек. Именно поэтому апостол Павел считал поведение в семье критерием духовного служителя (1 Тим. 3:4-5; 5:8). Семья состоит из людей, доверенных одному, кто и несет ответственность за них. Людям, у которых не сложились отношения в семье, не следует доверять и Божью семью – церковь. В отношении детей это верно, пока дети еще маленькие. После определенного возраста они сами принимают свои решения, и родители могут лишь отчасти могут на них влиять. Если бы в прошлом меня оценивали по поведению трех моих сыновей в их молодом возрасте, то мне бы никогда не позволили взять на себя ответственность духовного лидера. Люди в моей прежней церкви подходили ко мне и спрашивали, как я вообще могу быть пастором с такими сыновьями. Фактически я был на грани того, чтобы сложить с себя мои полномочия пастора, однако мой тогдашний наставник объяснил мне, что требования Павла написаны в отношении маленьких детей, которые не достигли совершеннолетия. А мои сыновья были уже совершеннолетними и сами принимали решения относительно своей жизни. Слава Богу, что все трое вернулись на правильный путь, и я могу гордиться ими.

О важности хороших дружеских отношений я уже упоминал. Хорошие друзья – это благословение (Еккл. 4:9-12; Пр. 17:17). То, что уже тысячелетия назад было известно, подтверждается в настоящее время различными исследованиями. Жизнь людей с хорошими и доверительными отношениями более долгая и наполненная здоровьем. Дружба – это что-то вроде фактора счастья и здоровья. Близкие друзья схожи в своих парадигмах и взглядах. Они проходят аналогичные процессы, понимают свои собственные решения и трудности, и могут быть советчиками и поддержкой. С ними можно плакать и можно праздновать (Рим. 12:15).

В Новом Завете мы видим, что у Иисуса тоже был круг очень близких Ему людей. Ими были, в первую очередь, апостолы Иоанн, Петр и Иаков Старший (Мф. 26:37; Мк. 5:37; 9:2; 13:3; 14:33; Лк. 8:51; 9:28; Ин. 13:23 и т. д.). Мы видим, что Иисус брал с собой на свои служения не всех учеников. Эти трое занимали особое положение, они были среди первых учеников, которых которых призвал Иисус (Мк. 1:16-20). Их имена возглавляют список из двенадцати (Мк. 3:16-19). Они были свидетелями первых чудес Иисуса (Мк. 1:21-31), только они были свидетелями преображения (Мк. 9:2) и только они сопровождали Иисуса в Гефсимании (Мк. 14:33).

Остальные ученики составляли еще один круг, с людьми из него Иисус был не столь близок, как с теми тремя. Известно, что Иуда покинул этот круг, когда все пошло не по его представлениям.

Это часть нормального развития жизни человека. Те, кто нам очень близок и на которых можно положиться, остаются с нами дольше чем те, кто может нас знать, но находится на расстоянии, имея иные жизненные установки и ожидания.

Внутренним или ближним кругом, я считаю, могут называться те, кому позволено узнать тебя близко, кому ты готов доверить тайны своего сердца. Это такие люди, рядом с которыми можно думать вслух. В ближнем кругу можно открыть свои слабости, страхи и сомнения. Этот круг обладает мандатом говорить о тех твоих слабостях, к которым ты сам можешь быть слеп. С ними можно плакать и смеяться. Они не воюют с тобой и не завидуют. Они поднимут, если упадешь.

У каждого лидера должен быть такой внутренний ближний круг, потому что он предупреждает о камнях преткновения. Самой большой ошибкой лидера становится его нежелание размышлять с другими о своей деятельности, длительное отсутствие обратной связи, а также что-то долго скрываемое от других глаз. Руководители, не отчитывающиеся ни перед кем, теряют правильный масштаб в своей жизни. Большинство лидеров, которые из-за своего ошибочного поведения попали в тяжелый кризис, и которых я консультировал, не обладали таким функционирующим внутренним ближним кругом.

Чем раньше лидер откроет себя для других людей, зрелых и достойных доверия, образуя из них внутренний ближний круг, тем лучше. Поиск надежных спутников требует времени. Возможно, стоит начать с одного человека, но лучше все же с двух по моему мнению. Собственный супруг или супруга могут быть частью этого внутреннего ближнего круга, но тогда необходимы еще двое, потому что собственный супруг или супруга затрагивается кризисом тоже.

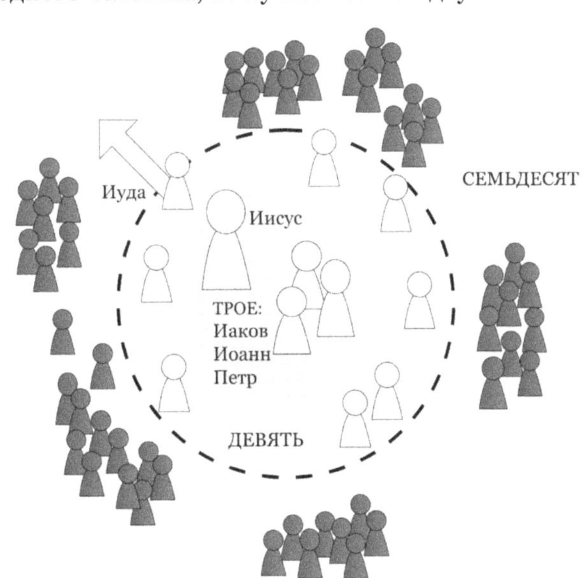

ИЗОБРАЖЕНИЕ 7. Ближний круг

Этот круг не статичен, и с изменением роли и задач лидера, тот же круг, вероятно, уже не будет подходящей поддержкой на всех периодах жизни. Лидер, сменивший деятельность, должен впустить в свой ближний круг того, кому знакомы вызовы новой деятельности. Будучи пастором небольшой пятидесятнической церкви в провинциальном местечке Нижней Саксонии, я нуждался в других личностях в моем ближнем круге, чем в сегодняшнем межконфессиональном служении.

Если на позднем этапе своего служения необходимо отправиться на поиски своего ближнего круга, то надо быть осторожным, чтобы не искать тех, кто будет одобрять проступки. К сожалению, в прошлом я сталкивался с тем, что лидеры, особенно в случаях, связанных с неверностью или сексуальными проступками, охотно обращались к светским консультантам, которые не находили ничего предосудительного в их действиях. Как правило, это не помогало и приводило к распаду семьи, и лидер не мог вернуться к духовному служению.

У ближнего внутреннего круга не только корректирующее значение. Он защищает в условиях кризиса благодаря объективным советам. Когда проступки лидера принимают большие масштабы, то общественность становится беспощадной. В интернете появляются сайты, преследующие единственную цель – публичную дискредитацию лидера. Все эти обвинения приносят большую боль и отнимают много сил. Внутренний ближний круг помогает пострадавшим сосредоточиться на главном, не слишком прислушиваться к некорректной критике, и если необходимо начать процесс исцеления.

Дружеские отношения существуют в разных слоях – церковное служение, неверующие родственники и знакомые, коллеги на работе. Понятно, что церковь существует для того, чтобы приносить свои собственные дары, свой вклад и расти – это важно и похвально. Но если сводить пребывание в общине только к собственным достижениям, это изолирует. Община верующих – это путешествие братьев и сестер вместе. У каждого Божьего ребенка есть множество братьев и сестер, которые могут быть очень близки друг другу. В больших церковных общинах нет возможности общаться со всеми и каждым. В небольших с этим проще, но и здесь нужно быть активным самому. За хорошие отношения между людьми внутри общины невозможно возложить ответственность на лидеров. Наверное, каждому пастору знакомо обвинение, что именно эта община не похожа на семью и никто не заботится о других. Таким людям стоит объяснить, что это зависит от них, а не от пастора. Если они поменяют общину, то столкнутся с той же проблемой в другой.

Некоторым людям легко находить друзей и выстраивать дружеские отношения, потому что они инициативны от природы. Другим труднее, поэтому им приходится прилагать реальные усилия для этого. Но любому типу людей необходимы дружеские отношения, за ними надо ухаживать и считаться с тем, что со временем они изменятся.

Отношения с единомышленниками

Не только отношения с наставником или отношения с супругой или супругом, семьей и друзьями благословенны и конструктивны. Особенно лидеры нуждаются в взаимосвязях, которые можно сравнить с компьютерной сетью. Даже если кто-то может выполнять свое поручение в одиночку, ему как и апостолам нужно налаживать связи с другими лидерами, чтобы регулярно обмениваться мнениями. Такие взаимосвязи как внутрисетевой взаимообмен. Я уже упоминал, что вряд ли кто-то в бизнесе, спорте или какой иной области был бы в состоянии преуспеть в одиночку. У всякого, добившегося больших достижений, были подходящие консультанты, которые конструктивно помогали своим опытом и знаниями. В настоящее время можно часто, к сожалению, столкнуться с феноменом самопровозглашенных тренеров и экспертов по любому вопросу, которые просто хотят заработать на своих консультациях. Люди, за спиной которых вряд ли есть хоть какой-либо профессиональный успех, занимаются лайф- и бизнес-коучингами, считая, что можно стать экспертом в какой-то области, прочитав мотивационную и консультационную литературу других. В большинстве случаев их предпринимательство недолговечно, потому что у них нет ни малейшего опыта, ни чего-либо значительного в биографии.

Я ни в коем случае не нападаю на коучей или тренеров, просто хочу сказать, что люди, которые успешно и долго занимались своим делом гораздо полезнее самопровозглашенных «экспертов». Если за спиной духовного лидера благословенное служение, то общение с ним, вероятно, будет более обогащающим, чем тренинг самопровозглашенного «эксперта». Поэтому так важно искать общения и бесед с единомышленниками. Мой опыт показывает, что духовные лидеры, не ищущие взаимосвязей с другими, редко совершенствуются. Тем не менее я, конечно, рекомендую хороших коучей для самоанализа, а некоторым лидерам я бы даже посоветовал пройти супервизию или терапию. Ведь разрыв между восприятием себя самого и как воспринимают человека другие может со временем стать таким большим, что от так называемого «слепого пятна»[9] невозможно избавиться просто молитвой. Профессиональное консультирование поможет выявить такие «слепые пятна», а уж потом их можно принести в молитве пред Богом.

Созидание стабильности в отношениях

Когда речь заходит об отношениях лидера с другими людьми, то примером для меня является апостол Павел. Он был человеком, открывавшим перед другими свое сердце. Об этом можно прочитать во многих местах Нового Завета, но следующие два стиха ярко говорят об этом:

---

9   *Слепым пятном предвзятости или предубеждения (англ. Bias blind spot) называют невидимую человеку зону его поведения, отрицательно влияющую на него и на его суждения, искажая реальность из-за предвзятости человека. (Прим. переводчика)*

1 Фес. 2:7-8

Это удивительное описание служения апостолов, в частности, Павла. Он не гнался ни за деньгами, ни за прибылью. Его целью было только то, чтобы церковь познала Божью любовь. Он впустил этих людей в свое сердце и позволил им стать частью своей собственной жизни, потому что любил их. Это была не просто лишь Благая весть, которой Павел хотел с ними поделиться, но и все его сердце целиком.

Чем больше восхищаются духовными лидерами, тем больше для них опасность подвергнуться критике. Чтобы защититься от этого, они притворяются независимыми и возвышенными. В конце концов, их многие хвалят, и им это нравится. Однако обратной стороной всего этого становится то, что они перестают быть искренними и прозрачными перед людьми, и просто начинают исполнять свою роль. Павел выбрал для себя другой путь: он признал, что жаждет глубоких и честных отношений с другими людьми.

Лидеры должны быть способны открывать, как Павел, свои сердца друг другу. Это нелегко, потому что когда человек становится прозрачным, он обнажает перед другим такие детали, которых может стыдиться и не хотел бы, чтобы кто-то другой о них знал. Кроме того, открыв свои слабости, можно стать мишенью. Поэтому многие предпочитают носить маски. К сожалению, я встречал людей, которые из-за страха потерять свою репутацию, долгие годы жили во лжи, вместо того, чтобы быть честными и привести в порядок собственную жизнь.

В определенной степени само собой разумеется, что нельзя открывать свое сердце всем и каждому. С некоторой информацией нужно обращаться очень осторожно, потому что не всякий способен с ней справиться, а иногда эта информация касается третьих лиц. Кроме того, собственное мнение по некоторым вопросам может быть встречено неодобрительно, а иногда бывает несправедливо, да и немилосердно выпячивать свой образ мыслей. Поэтому открывать свое сердце нужно сдержанно. Но нельзя забывать, что для построения крепких отношений некоторых людей нужно впускать полностью, как это делал Павел. Я думаю, что в этом смысле Павел учился у Иисуса. Иисус жил прозрачно перед своими учениками, и, в частности, трое из них были очень близки Ему. Им никогда не приходилось разгадывать, как Он себя чувствует. Он не скрывал от них ни Свою печаль, ни Свою радость, ни Свой гнев, ни Свой страх или отчаяние. Когда Он был со Своими учениками перед смертью в Гефсиманском саду, Он не излучал искусственного оптимизма и не делал вид, что у Него все под контролем. Только так можно сформировать устойчивые дружеские отношения, которые продлятся долго.

Я хотел бы упомянуть еще одно непременное качество. Человек, который знает, что любим Богом, принят Им, искуплен и одарен Святым Духом, должен обладать базовой установкой к честности и открытости. Люди, которые показывают лишь сильные и красивые стороны, пряча другие, возможно, произведут впечатление на других людей. Однако у таких людей едва ли будут друзья, и они медленно, но верно станут одинокими. Люди, ищущие друзей, ищут не того, кто произведет на них впечатление, а того, кто искренен.

> *В детях нам нравится и восхищает нас то, что они еще не научились управлять своими лицами*
>
> *Неизвестный автор*

С детьми выявляется кто ты на самом деле. Они откровенны до неприличия. Но чем старше становятся люди, тем лучше они умеют держать себя в руках и контролировать свои лица. Они учатся скрывать, прятать и носить маски. Людям удается скрывать печаль и показывать те эмоции, которых они не испытывают. Однако это деструктивно для любых отношений. Подлинность укрепляет отношения, потому что другие могут узнать нас настоящими.

? Вопросы для личного размышления

1. К кому я могу обратиться, когда мне действительно плохо?
2. Есть ли один или несколько человек, которые меня знают вдоль и поперек, и которым я могу довериться?
3. Что мешает мне построить такие отношения?
4. Какие простые, подходящие моей ситуации шаги, я хочу сделать в ближайшее время?

1.3 Отношения с властью

Нередко лидер обнаруживает, что близкие ему сотрудники преданы ему, в основном, в его присутствии, тогда как в его отсутствие их преданность не так уж и крепка. К сожалению, и мне пришлось несколько раз испытать подобный болезненный опыт. Как-то один близкий мне лидер провел заседание под девизом «Кот за двери – мыши в пляс!» Во время моего отсутствия из-за поездки по делам служения я передал ему полномочия провести заседание церковного совета. И он использовал этот момент, чтобы поговорить обо мне и показать, что я делаю не так, выставив себя в лучшем свете. Ведь с ним и при нем такого бы не произошло, потому что он лучше знал как руководить.

Но несмотря на всю критику в мой адрес, церковный совет был расположен ко мне, а некоторые сообщили мне об упомянутом заседании. Я попытался поговорить с названным человеком. Он заверил, что это был лишь «открытый» обмен мнениями и ни в коем случае не критика в мой адрес. Что бы он ни имел ввиду, для меня такое поведение было неприглядным, и мое доверие к нему с того дня стало рушиться. Также и другие члены церковного совета не могли одобрить такие выпады против меня.

Есть простое, но важное основополагающее правило, которое применимо не только к церковной, но любой среде: лучше честно и открыто говорить с людьми, чем о них. Последний подход может привести лишь к нежелательным побочным эффектам. Открытый обмен мнениями об отсутствующих уместен, лишь когда речь о нанятом персонале или о ком-то подобном. Однако в том случае речь шла не о каких-то фактах или о развитии нашей общины, а о личном восприятии, о котором говорят друг с другом, в первую очередь. Поэтому разумнее бы было сначала подойти ко мне, а лишь потом обсуждать это в кругу друзей.

В этой области поведение Иисуса Навина было образцовым. В четвертом его упоминании это ярко показано. В Числах 11:24-30 нам рассказывается, что Моисей собрал семьдесят старейшин вокруг скинии, и когда они были вместе на них сошел Дух Господень, который прежде был только на Моисее. И они начали пророчествовать, как до этого пророчествовал Моисей. Двое же мужчин по имени Елдад и Модад остались в лагере, не выходя к скинии. Но и они начали пророчествовать. Один юноша сообщил об этом Моисею. Для Иисуса Навина это было явным нарушением, и он попросил Моисея остановить это. Иисус Навин был очевидно обеспокоен статусом Моисея в народе. Он хотел защитить честь и положение своего лидера. Но Моисей явно указал Иисусу Навину, что ему не надо заступаться за честь своего наставника. Бог хотел большего, чтобы «весь народ» был пророками, поэтому им надо позволить пророчествовать дальше.

Тот факт, что те мужчины могли быть в таком же духовном положении, что и Моисей, не вписывался в представление Иисуса Навина о лидерстве, поэтому в тот день ему пришлось усвоить урок: не люди первыми назначают людей, а Бог сначала призывает и оснащает. Эту библейскую истину я рассматривал в своей первой книге. Поэтому и духовный лидер никогда не должен считать, что его деятельность определяется им самим. Если такое происходит, то с этого момента начинается процесс разложения в духовном смысле любого на руководящей должности. Мне встречался далеко не один лидер, присвоивший себе честь, а затем начиналось их падение. Он не мог уже более удерживать свое положение и становилось понятно, что эта работа может прекрасно существовать без него.

Ожидание своего назначения

То, что Иисус Навин делал верно, так это относился с уважением и честью к своему наставнику. Он ни разу не пытался свергнуть Моисея, но всегда старался его поддержать. Это стало благословением для него и в последующем служении. Ведь здесь применим принцип сеяния и жатвы (Гал. 6:7). Не раз мне приходилось наблюдать, как лидеры, способствовавшие когда-то смещению своих руководителей, позднее были отстранены от их позиций более молодыми. Когда в прошлом они поддерживали отстранение их руководителей, то были убеждены, что все правильно и на благо церкви, что не отменяет того факта, что им потом пришлось пройти через подобный опыт.

Конечно, это ни в коем случае не говорит о том, что всякий, кого отстранили от должности, когда-то в прошлом был участником чего-то подобного. Однако если у кого-то были такие ошибки, в них надо покаяться и примириться, потому что не готовность к покаянию настигает рано или поздно. Непримиримость связана с гордостью каким-то образом, а Господь гордым противится (Иак. 4:6). Плохое семя с моей точки зрения может быть удалено благодаря покаянию и прощению, поэтому нельзя ничего «заметать под ковер». Я подчас сталкиваюсь с людьми, которые были высокомерны, потому что считали, что знают лучше, как все должно быть. Как только они покидали столь удобное им окружение, то рассчитывали, что их поступки забыты, но им приходилось столкнуться с тем, что их долги их же и настигали. Как земные законы природы не могут быть отменены, так и духовные законы остаются всегда в силе. Особенно сегодня современный человек, привыкший жить автономно и независимо, думает, что у него есть право диктовать Богу, что Ему делать. Такой «гуманистический» образ Бога вреден для собственной веры, поскольку всегда выходит так, что не Бог должен подчинить Себя воле человека, а наоборот. Хотя Моисей ко времени Иисуса Навина был уже довольно пожилым человеком, да и у Иисуса Навина годы тоже уже были не юными, тем не менее он всегда отдавал первенство своему наставнику, и ждал своего назначения. В отличие от некоторых современных лидеров, Иисус Навин не поступал по принципу: «На Бога надейся, да сам не плошай».

И тут я должен сказать, что далеко не каждый лидер осознает, что его время пришло, пора уходить и отдать все преемнику. Если становится понятно, что руководитель не в состоянии, подготовить преемника, то нужно тихо и с миром уйти, открыв себя для другой области действий, которую покажет Бог. Нет необходимости ожидать чего-то от человека, чьи глаза затуманены. Если есть убеждение, что Бог посылает тебя служить в тот город, где ты живешь, то надо набраться смелости и начать новую церковь там, но не переманивая людей и не нанося никакого ущерба. Чаще всего в городах достаточно жителей, поэтому и еще одна община не помешает.

Теперь я хочу поразмышлять о трех личностях, двое из которых являются отрицательными примерами, а один, подобно Иисусу Навину – образцом для подражания, если речь идет об умении дождаться своего назначения. Эти три человека показывают, как человек может обращаться с властью. На мой взгляд их поведение является вневременным примером для лидеров. Во все времена лидеры вели и будут себя вести подобным образом.

Три примера обращения с властью

История наследования трона после Давида – это история катастроф. Конфликты были предсказуемы от начала. После того как Давид был коронован, в Хевроне у него родилось шесть сыновей: Амнон, Далуиа, Авессалом, Адония, Сафатия и Иефераам (2 Цар. 3:2-5). Следующие сыновья и дочери родились в Иерусалиме (2 Цар. 5:13-16). Среди последней группы назван также Соломон – сын Вирсавии (2 Цар. 5:14). Всего у нас сведения о 17 сыновьях Давида. Кто-то из его многочисленных сыновей должен был наследовать трон. Это было понятно всем, но вот кто станет им? И кто будет матерью царя, которая тоже обретет определенную власть? Кто из сыновей обладает необходимыми навыками, чтобы управлять царством своего отца, примут ли его остальные братья и последуют ли за ним?

Ничего похожего на демократию в Израиле не было, да и царь не являлся выборной должностью. В этом вопросе Израиль не отличался от своих современников на Востоке. Предполагалось, что царь правит до конца жизни, и его место занимает первенец. Однако трон Давида достался десятому сыну. Причиной этого стало ненадлежащее поведение его первых сыновей. Сыновья, рожденные в Хевроне, становятся центральными фигурами в историях Иерусалимского двора. Особенно выделены в повествовании: Авессалом и Адония.

Мы встречаемся с сыновьями Давида, когда они уже по большей части выросли. Соответственно, Давид тоже был далеко не молод, а вероятнее всего достиг преклонного возраста. Но его возраст не был поводом для того, чтобы им задумываться о престолонаследии, поскольку при жизни отца у них не было права на престол. О первенце Давида – Амноне, читателю рассказывается мало, вероятно, потому, что он не был особенной личностью. Он был просто первым и старшим, вот, кажется и все. У его матери Ахиноамы было провинциальное происхождение, ничем не примечательное. Его поведение позволяет думать, что он не был ни умным, ни сдержанным в своих желаниях. Он влюбился в свою сводную сестру Фамарь, и то, что он не мог быть с ней, привело его к болезни (2 Цар. 13:1-22). Но у него был друг Ионадав, который описан как «очень хитрый», который и дает ему совет, как овладеть той, которую он жаждет. После того как Амнон изнасиловал ее, он возненавидел ее сильнее, чем хотел, устал от нее и выгнал.

Родной по матери брат Фамари Авессалом разгневался из-за поступка Амнона, но просил свою сестру молчать об этом. Авессалом хотел отомстить своему сводному брату, но ему хватило сообразительности не действовать сгоряча, в состоянии аффекта, но спланировать свою месть, да и устранить соперника по трону входило в планы.

Первоначальные данные Авессалома были куда лучше, чем у первенца. Его мать Мааха была дочерью царя Гессурского, арамейского государства восточнее Галилейского моря. Более того, им многие восхищались. Он был красив, что, несомненно, придавало ему дополнительную уверенность в себе (2 Цар. 14:25). О его волевом характере свидетельствует его подход к действиям: он выждал, прежде чем отомстить (2 Цар. 13:23-39). Лишь через два года он пригласил своих братьев на праздник стрижки овец, который сам же и устроил. Поездку Амнона туда он использовал для того, чтобы нанятые им убийцы устранили Амнона. Так он, казалось бы, убил двух зайцев одним выстрелом: отомстил за свою сестру и избавился от одного из соперников на престол. Его поступок сделал его братоубийцей, и какое-то время он пытался разыграть свою карту с отцом, оставаясь три года в Гешуре, пока его поступок не зарос травой.

Авессалом, очевидно, был и настойчивым, и харизматичным (2 Цар. 15:2-6). Это давало ему хорошие предпосылки для того, чтобы занять место на троне. И через пару лет он рискнул предстать перед лицом царя, но довольно грубым способом (2 Цар. 14:28-33). После того, как отец его все же принял, он тут же начал свои игры за власть (2 Цар. 15:1-12). Для достижения цели ему были все средства хороши. Он купил колесницу, нанял пятьдесят скороходов, и начал настраивать народ против своего отца, говоря им, что его отец не будет заниматься их делами. Особенно он сосредоточился на тех израильтянах, у кого были правовые тяжбы к царю. Возможно это были люди из той области, откуда происходил Саул, и где царствование Давида было наименее прочным. Таким образом он пытался дестабилизировать трон, в чем достиг успеха.

По истечении пары лет подготовки Авессалом попросил у царя разрешения отправиться в Хеврон, чтобы принять участие в празднике. Однако в Хевроне он собирался начать свое восстание против отца. Там Давид был помазан на царство (2 Цар. 5:3), и поэтому именно там Авессалом провозгласил себя царем. После того, как вспыхнул открытый мятеж, Давиду пришлось бежать из Иерусалима (2 Цар. 15:13-36). Покинуть столицу своего царства казалось Давиду лучшим шагом, потому что народ теперь следовал за анти-царем из его собственного дома. За Давидом в его рядах следовали фактически только иноземцы. Окончательный разрыв сына с отцом произошел тогда, когда Авессалом демонстративно, на глазах всего народа вошел к наложницам Давида (2 Цар. 16:15-23).

Давиду удалось перегруппировать свои войска в Гилеаде и напасть на войска Авессалома (2 Цар. гл. 17-18). При этом сам Давид не принимал участия в битве и прямо призвал, чтобы его сына пощадили. В конце концов, армия анти-царя была разбита, и Давид одержал победу над своими бывшими подданными. Убегая Авессалом зацепился своими волосами за ветви большого дуба, и был убит оруженосцами Иоава – полководца и племянника царя. Сначала не знали, как сообщить эту печальную весть Давиду. И когда Давид, который больше всего боялся за жизнь своего сына, получил известие о его смерти, то впал в безмерную скорбь (2 Цар. 19:1-19). Он предпочел бы сам умереть на месте Авессалома. Впечатляет то, что Давид не дал своему сердцу очерстветь и ожесточиться, несмотря на все предательства и страдания.

Автор этой истории ясно говорит, что Авессалом «вкрался» (2 Цар. 15:6). Он присвоил себе то, что ему не было в то время дано. Он был весьма харизматичным лидером, и мог бы стать хорошим правителем, но это не давало ему права узурпировать власть. Успех и власть – не повод становиться высокомерным. К сожалению, далеко не каждый может справиться с властью. Однажды попробовав ее на вкус, не всякому под силу перестать ею обладать. Исследования показывают, что чем больше власти у человека, тем сложнее ее отдать. Большинство кризисов лидерства в церкви связаны не с теологией, а с властью.

Власть – это способность определять обстоятельства или людей. Обычно она дается вместе с постом или должностью. В общественном мнении этот термин часто получает негативную окраску, но это не так. По своей сути власть нейтральна и необходима. Не обладая властью сложно руководить, хоть в бизнесе, хоть в церкви. Однако обладание властью наполняет людей гордостью и чувством счастья. Авессалом будучи популярным принцем, рано привык к этим ощущениям, и не мог дождаться когда же он получит всю власть над царским домом. Легко упустить из виду, что у власти есть подводные камни: она всегда связана с ответственностью и создает дистанцию по отношению к другим людям. Власть – это не то, что можно взять, но ее можно дать. И если человек захватывает ее незаконным путем, то это не надолго, как и было у Авессалома. Когда человек занимает должность или стремиться ее занять, то он должен знать, что однажды он может столкнуться с Авессаломом. Это такой человек или человеки, которые не могут получить власть достаточно быстро или хотят больше власти, чем им положено по праву. Они не будут останавливаться ни перед каким нечестием, чтобы получить власть. В то же время Вы сами можете оказаться в опасности стать Авессаломом для кого-то, если не можете дождаться своего времени для какой-то позиции и попытаетесь захватить ее самостоятельно.

Адония

В случае с Адонией, его стремление стать царем выглядит более понятным, чем у его старшего брата Авессалома. Давид был уже совсем преклонного возраста, ему было постоянно холодно. Даже самая красивая женщина не вызывала в нем интереса (3 Цар. 1:1-4). После смерти Авессалома наследником престола согласно устоям того времени должен был стать Адония[10]. Но и он был мятежником, пошедшим по стопам старшего брата. Он тоже был красив, тоже завел колесницы и пятьдесят стражников (3 Цар. 1:5[11]). Похоже, ошибки брата ничему его не научили, и он провозгласил себя царем, хотя его отец не отрекался от престола. Похоже, у него не было недостатка в амбициях. В отличие от его брата на стороне Адонии были некоторые влиятельные люди, которые приветствовали эту затею (3 Цар. 1:5-10). Очевидно желание Адонии стать царем было более оправданным для некоторых влиятельных людей из его окружения, нежели желание его брата. Царь состарился, и в глазах некоторых (Иоава, священника Авиафара и других сыновей царя) пришло время новому царю занять трон. Поэтому Адонии не нужна была смелость и напористость брата для его попытки взойти на трон. Однако автор библейского

---

10 *Что случилось с Далуией – вторым сыном Давида от Авигеи, остается неизвестным, возможно, он рано умер.*

11 *В Синодальном переводе нанятые мужчины названы скороходами, однако еврейское слово «רוץ» (бежать, носиться, прогонять) в некоторых переводах переведено как стражник (Перевод под редакцией Кулаковых), телохранитель (Современный перевод РБО), слуга (Новый Русский перевод), люди, которые бежали впереди него (Перевод Библейской Лиги ERV и Современный перевод WBTC). (Прим. переводчика)*

повествования ясно дает понять, что его поступок был безнравственным, так как он «воцарился» – сделал себя царем сам.

Уверенный в своей победе Адония вскоре должен быть с болью осознать, что просчитался (3 Цар. 1:11-52). При дворе у него были и политические противники (священник Садок, Ванея, Семей, сильные Давидовы) и иерусалимский пророк Нафан, который очевидно не представлял Адонию преемником Давида, и убеждал царя с его женой Вирсавией объявить своим преемником Соломона. В царских покоях они убеждали царя до тех пор, пока доселе бездействующий Давид не объявил своего сына Соломона царем. Соломон был публично помазан на царство. Как Адония удивил своим притязанием на царствование, так и он сам теперь был удивлен, что Соломон помазан на царство. Помазание брата вызвало страх у Адонии, и он попытался поговорить с Соломоном после того, как его заступники его подвели. Тот простил его и заверил, что «ни один волос его не упадёт на землю», и отпустил его с миром.

Несмотря на очевидную неудачу в восшествии на престол, Адония, похоже, сохранил свои притязания на трон. Это становится ясно в последней сцене, в которой мы с ним встречаемся (3 Цар. 2:13-25). Так как Адония не решался сам пойти к своему брату, он обратился к его матери с просьбой поговорить с Соломоном, чтобы тот разрешил ему жениться на Ависаге – наложнице его покойного отца. Наивно он напомнил Вирсавии, что должен был стать царем. Создается впечатление, что раз Адония не смог получить царство, то хотел хотя бы одну из жен отца. Такая просьба, вероятно, напомнила Соломону поведение его брата Авессалома, когда тот вошел к наложницам своего отца (2 Цар. 16:15-23). Такой подход вызвал у Соломона раздражение, поскольку он все равно собирался «навести порядок» на царском дворе. И он приказал умертвить брата, чтобы, вероятно, избежать будущих игр за власть.

Для меня Адония является классическим примером завышенной самооценки. В то время, как Авессалом обладал достаточной силой, чтобы править, но не смог этого дождаться, его брат переоценил себя, как только их отец ослабел. Адония не был такой сильной личностью как его брат, но все же попытался захватить власть. В отличие от Авессалома, за ним стояли лидеры. Однако он вышел за рамки своих возможностей. Против него было столько же, сколько и за него, и как только стало известно, что царем станет Соломон, сторонников у него быстро поуменьшилось. Это говорит о том, что сторонники Адонии были не так уж и уверены в том, что делали. Едва он успел провозгласить себя царем, как пал.

Такие Адонии встречаются среди служителей. Это личности, которые переоценивают себя, жаждут должностей уходящих руководителей, полагаются на небольшую группу советчиков. В то же время существует опасность стать Адонией, если начать думать о себе более высоко, чем надо, и возвышать себя над существующими лидерами по чьим-то советам. От завышенной самооценки страдают все лидеры, и с ней приходится постоянно сталкиваться.

Конечно, самонадеянность существует не только там, где человек себя возвышает себя исходя из своеволия. Это случается и с вполне безобидными мотивами. Люди могут десятилетиями ошибаться с самыми благочестивыми намерениями, не осознавая этого. Личность не всегда растет по мере расширения сферы деятельности, и бывает, что служение перерастает человека. Иногда способных слишком часто повышают, или дают им такую область деятельности, для которой они не подходят квалификационно. Конечно, можно всегда дорасти, совершенствоваться, однако я уже подчеркивал, что для многих достигнутое в настоящем уже достаточно комфортно, чтобы стремиться к росту.

Американский автор книг по менеджменту Лоуренс Джонстон Питер опубликовал в 1969 году работу под названием «Принцип Питера». Эта работа не потеряла своей актуальности и по сей день. В ней Питер исследует вопрос о том, почему на рабочем месте или, в целом, в экономике что-то всегда идет не так, или почему профессиональная некомпетентность так распространена. Он рассматривает некомпетентность на всех уровнях иерархических систем в самых разных отраслях — экономике, образовании, юриспруденции, политике. На многочисленных примерах он показывает, что существует некий «универсальный феномен»:

В иерархической системе каждый индивидуум имеет тенденцию подняться до уровня своей некомпетентности.[12]

Конечно, не всякий находится в таком положении некомпетентности, но любой может там оказаться. Поэтому этот феномен затрагивает всех, и относиться к нему надо со всей серьезностью. Когда люди слишком долго находятся в той сфере деятельности, к какой они не подходят, то они блокируют дальнейшее развитие своего окружения, а в худшем случае, наносят ему даже ущерб. Это особенно сложно для церквей, в которых трудно вывести человека из зоны его ответственности. В компаниях структуры более иерархичны, а потому с внутренними изменениями приходится просто соглашаться. Тогда как в церкви человека оставляют на посту из страха, что может быть нанесен вред, и ради мира. Здесь можно быть вежливым до «гроба». В компаниях, на предприятиях человек, которого руководство признало неспособным, в среднем в течение двух лет покидает свой пост. Насколько я знаю, в немецкоязычном церковном пространстве подобных исследований не проводилось. Я предполагаю, что в этой сфере срок приближается годам к пяти. Конечно, очень жаль, но в то же время это неизбежно, если те, кого это касается, не в состоянии осознать, что переоценили себя.

Соломон

Соломону можно было бы дать различные определения. Он и поэт, и мыслитель, и искушенный в политике дипломат, и бизнесмен, и ослепительная личность с широким спектром влияния. После себя он оставил незабываемое, войдя в историю своей жизнью. Особого упоминания заслуживает Храм, и литература о его мудрости. Его труды сформировали не только иудейскую и христианскую культуры, но и исламскую.

---

12 *Peter, Laurence J. / Hull, Raymond: Das Peter-Prinzip. Oder Die Hierarchie der Unfähigen.*

Соломон выходит на сцену повествования и истории лишь после своего помазания и восшествия на престол. До этого мы можем мало что о нем узнать. Очевидно, что Соломон обладал необходимым для трона статусом и у него были таланты. Тем не менее, он не создавал столько шума вокруг своей персоны, как его другие братья, и не старался протиснуться в центр царского двора.

Как мы уже видели, Соломон не рекомендовал себя на трон, не устраивал ничего амбициозного, чтобы занять трон самостоятельно. Его рекомендовали Нафан и Вирсавия, и Давид счел эту идею хорошей (3 Цар. 1:11-52). Поэтому когда пришло время царствования Соломона – он был призван, что позволило ему позже сказать, что «всему своё время» (Еккл. 3:1-11).

В этом смысле история Соломона напоминает историю Иосифа, которому пришлось долго ждать прежде, чем он достиг обещанного ему положения. Мы не знаем, было ли Соломону известно о своем будущем подобным пророческим образом, но ясно, что он не бездействовал в отношении своего развития. Его способности не оставались долгое время незамеченными, поэтому его окружение могло поручить ему перенять царство. Соломон в отличие прежде упомянутых двух его братьев является положительным примером для читателя. Я хотел бы здесь еще раз подчеркнуть, что власть получают, а не отнимают. Если захватывать власть, то гораздо выше опасность оказаться в положении некомпетентном, нежели, когда ее дадут. Конечно, человек и при назначении другими не защищен от такой опасности, но вероятность, что он подобно Адонии переоценит свои возможности, в разы ниже.

Что касается выбора сотрудников, то и тут можно извлечь урок из примера Соломона. Не личность с большим эго или явной уверенностью в себе – лучший выбор. На самом деле самоуверенность довольно мало говорит как о способностях человека, так и его компетентности. Но, к сожалению, когда дело доходит до выбора сотрудников, то существует тенденция доверять показной уверенности в себе. Однако то, что выглядит как здравая самооценка, в конечном итоге может оказаться самовлюбленностью, эгоизмом и тщеславием. Эти качества чаще связывают с низкой самооценкой, чем с завышенной. Но чем меньше некоторые люди чувствуют свою значимость, тем больше они требуют ее подтверждения от окружающих. Выставляя себя хорошо, они защищаются от болезненной мысли о том, что они не нужны или не важны. Поэтому самовозвышением они хотят помочь себе, а не другим.

Такие люди встречаются и в церковной среде. Они похожи на Адонию, однако выбирать стоит тех, кто скромен и убедителен своим достоинством, как Соломон.

Учиться смирению

Человеку важно знать, что он уникален и ценен. Когда он это осознает, то ему легче справляться с некоторыми дискомфортными ощущениями. Особенно в отношении власти и влияния.

Джон Вуден – американский баскетболист, вошел в историю спорта благодаря своим достижениям тренера, каковым он стал по завершению карьеры игрока. В баскетболе университетов и колледжей никто не заработал столько титулов, сколько он. Вуден требовал от своих игроков более радикального отношения к успеху, чем могло бы быть у большинства из них:

> *Успех – это душевное спокойствие, достигаемое тогда, когда были приложены все усилия, для того, чтобы сделать лучшее, на что способен именно ты.*
>
> *Джон Вуден*

Вуден хотел этим сказать, что успех – это прежде всего подход, а не завоеванные титулы, медали и награды. Когда кто-то становится лучше, чем мог бы быть, то это и есть успех. Успешность не зависит от внешних обстоятельств, а находится внутри человека. Иными словами, успех – это стать лучшей версией себя самого. Такое состояние рекомендуется, в принципе. Многие люди тратят массу энергии на то, чтобы стать похожими на кого-то другого.

Они жаждут чужих сильных сторон и способностей. Это не совсем ошибочно, если таким образом человек развивает свои собственные сильные стороны и способности. В третьей главе этой части я еще раз остановлюсь на этом.

Один из близких мне людей сказал, что хотел бы, чтобы после моей смерти все мои дары перешли бы на него. Хотя такая мысль должна была мне польстить, я захотел ее переформулировать. Ведь подобное означает, что этот человек мог бы оставаться пассивным всю свою жизнь и бездействовал бы до старости. И с возрастом так бы ничего и не достиг. Исходя из этого можно понять, что это не воля Божья – создавать таким образом копии. Все на этой планете оригинально. Когда мы осознаем, что есть Творец, то не может быть, чтобы Он желал создания копий. И в заключении я сказал этому человеку, чтобы он не ждал готового, а начал раскрывать то, что у него уже есть.

Чтобы стать лучшей версией самого себя, необходимо быть смиренным. Смирение незаменимо в самосовершенствовании, потому что оно помогает оставаться собой, а не блистать любой ценой и не выдвигать себя судорожно на первый план. Смиренные люди радуются успеху других и могут справиться с ощущением неполноценности. Смирение означает непритязательность и умеренность в своих запросах.

Следует признать, что быть смиренным не всегда легко. Иногда человека переполняют чувства, которые мешают оставаться смиренным. Далее я хотел бы поделиться своим размышлением о тех четырех ощущениях или доводах, которые более всего усложняют задачу найти себя и стать лучшей версией себя самого. Эти мысли и чувства могут принести разрушения не только в собственную жизнь, но и нанести вред окружающим. В этой последовательности я вижу усиление негатива, который может возникнуть, когда человек не обращает внимания на свою внутреннюю жизнь. Одна ступень активирует другую, и развитие негатива ведет по спирали вниз.

Чаще всего с этой спиралью я сталкиваюсь в конфликтах между людьми. Они начинаются с вполне безобидных и незначительных разногласий, но если не быть осторожным, то они могут приобрести такую разрушительную силу, с которой сравним лесной пожар, уничтожающий все вокруг. Это силы, исходящие не от Господа.

Ревность

Ревность отличается от зависти, хотя оба эти чувства могут быть довольно похожими. Ревность вызывается иными факторами, нежели зависть. В отличии от зависти тот, кто реагирует ревностью, уже обладает чем-то и боится это потерять.

Наиболее знакомые примеры ревности известны из отношений в супружестве и семье. Если один из супругов флиртует с кем-то, то другой, как правило, ревнует. Если родители любят одного ребенка больше, чем другого, и это предпочтение проявляется вновь и вновь, то рано или поздно в другом ребенке возникнет ревность.

Однако ревность может проявляться не только в семейных отношениях или супружестве, но и на рабочем месте и в церкви. Каждый раз, когда люди считают, что у них есть право на что-то, и к тому же боятся это потерять – они реагируют с ревностью. Особенно это касается должностей и сопутствующего им признания. Причина часто кроется в сомнении в себе. Оно вырастает из чувства «я недостаточно хорош». Ревность может возникнуть и в здравой мере, потому что потеря чего бы то ни было всегда болезненна, и вполне нормально, что какие-то события вызывают обеспокоенность. Однако ревность приобретает нездоровые черты, когда человек из ревности пытается контролировать ситуацию или других людей, начиная привязывать человека к себе или к задаче.

Настоящая любовь дает свободу и сопровождает положительное развитие другого. Тогда как ревность может сковывать, связывать и парализовывать, чтобы контролировать. Мысль о том, что такой контроль полезен, рано или поздно покажет свою иллюзорность. Ведь от подобного отношения только страдают, а ревнивец добивается ровно противоположного тому, чего хотел бы добиться: от него бегут. Таким образом, тот, кто ревнует, разрушает собственное счастье и счастье любимого человека. Ревность в супружестве — это неправильно выраженная любовь или любовь незрелой личности, потому что ревнивца интересует лишь собственное счастье, а не счастье другого.

Таким образом ревнивые люди могут превратиться в тех, кто ставит свое благо над другими и живет за их счет. Мне нередко приходилось сталкиваться с людьми, которые во время душепопечительской беседы говорили: «Я не могу жить без него/нее». На мой взгляд такое заявление – это самопроявление неустойчивой личности. Тем, кто делает подобные заявления о себе по отношению к другой личности или роли, которую они исполняют, необходимо срочно подумать о своем я. Ревнивцам я могу посоветовать, сконцентрироваться на собственных сильных сторонах и предоставить свои ресурсы другому, вместо того, чтобы смотреть на этого другого как на самый большой ресурс, используя его. Когда ревнивые люди осознают, как многогранно одарил их Господь, какой потенциал и красота скрыты в них, они могут обрести покой и жить в благодарности. Тогда и ревности будет мало места в их жизни. Таким людям стоит понять, что другие не «лучше» их, а они не лучше других. Не следует оценивать людей, нужно ценить и уважать это разнообразие. В конце концов, у каждого есть и различные дары, и таланты, и сильные стороны, и многочисленные слабые. Любой имеет право на уважительное отношение, ценящее его достоинство.

В одной церковной общине я был свидетелем, например, такого развития событий: пастор стал использовать проповеди одного из старейшин[13], когда того не было в собрании, для своей выгоды. Проповеди старейшины были богословски верны, да и популярность его служения росла. В какой-то момент пастор начал хорошие проповеди старейшины ставить под сомнение в последующие воскресенья. Я не мог объяснить такое поведение иначе, как

---

13 *Здесь можно употребить и другие слова: лидера, пресвитера, помощника пастора – в различных церквях используют разные наименования тех, кто из церковной общины проповедует или является одним из соруководителей общины (Прим. переводчика)*

опасением пастора потерять признание как пастора и учителя. Поэтому я посоветовал старейшине пойти на прямой разговор с пастором. Он последовал моему совету, и в конце концов, стороны решили мирно разойтись в разные стороны. Оглядываясь назад, можно сказать, что это был лучший путь, так как пастор явно не мог контролировать свою ревность.

Зависть

Зависть – это еще одно ощущение ущербности. Зависть возникает тогда, когда другой обладает чем-то, чего тебе хочется, но у тебя этого нет. Завистливые люди сознательно или бессознательно отказывают другому человеку в праве на счастье. Настоящая проблема зависти в том, что человек оценивает свое счастье, сравнивая его со счастьем других. Завистливые люди лишают себя возможности стать лучше, потому что они смотрят на то, что есть у других, а им якобы не хватает. Они живут в убеждении, что им было бы лучше, если бы у них было то, что есть у других. При этом они забывают, что человек, как правило, остается неудовлетворенным существом. Он, сравнивая себя с другими, постоянно находит что-то, что ему хочется, но он этим не обладает. Ничего удивительного нет в том, что в знаменитых Десяти заповедях говорится: «Не желай… ничего, что у ближнего твоего» (Исх. 20:17). Лучше радоваться тому, что есть, заботиться об этом и развивать.

Зависть может обрести разрушающую силу, если она сопровождается неприязнью и касается не только материального. Признание и любовь являются тем, чему часто завидуют. Поскольку зависть может повлиять на всю жизнь, и обладает пагубным потенциалом Павел предостерегал галатов о ней (Гал. 5:20). Завистливыми бывают не только те немногие, чье чувство собственного достоинства не развито, но любой, а в особенности те, у кого есть влияние и власть.

Я рекомендую завистливым людям некоторые практические шаги, которые могут быть полезными. В первую очередь, надо перестать постоянно сравнивать себя с другими. Сравнение всегда найдет существенный недостаток. Вместо этого следует сосредоточиться на том, что уже есть. Это укрепляет чувство довольства. Практической помощью в этом может стать ежедневник, в котором записывается то повседневно происходящее, за что можно быть благодарным.

В психологии говорят о внутреннем критике, когда речь идет о чрезмерном самобичевании. Люди, которые завидуют, должны помнить о внутреннем критике, который осуждает и их, и других. Им стоит, наконец, переключиться с пессимизма на оптимизм, ведь зависть – это пессимистическое поведение, против которого можно принять осознанное решение. Оптимистичные люди, в основном, позитивны по отношению к своему будущему, что делает их более открытыми для перемен. В отличие от пессимистов, оптимисты более конструктивно относятся как к своим ошибкам, так и к ошибкам других. Они склонны рассматривать свои ошибки как строительные леса для личного развития. Поэтому я могу порекомендовать каждому этот шаг. Зависть не исчезает сама по себе, она требует осознанного, активного подхода.

Ненависть

Ненависть глубже, чем уже упомянутые формы негативных мыслей и чувствований, это ярко выраженное чувство неприятия, враждебности и неприязни. Ненависть может быть направлена и против себя самого.

Ненависть возникает там, где остались душевные раны после нанесенной серьезной травмы. Эти раны могут быть вызваны различными формами оскорбления или пренебрежения. Когда оскорбление или обида сопровождается беспомощностью, то это может перерасти в ненависть. Люди остаются один на один со всей болью обиды и поначалу не могут ничего с этим поделать. Со временем их огорчение возрастает и появляется желание отомстить. Месть, как им думается, приведет их победе и несправедливость будет изглажена.

Ненависть может стать чем-то вроде внутренней динамо-машины, которая в течение длительного времени создает в человеке нечто похожее на смысл. При этом ненависть может быть направлена совсем не на того человека, который считается виновным. На более поздней стадии ненавидят и других людей, которых отождествляют с виной. Таким образом происходит своего рода перекладывание вины. В последние годы ненависть приобретает все большее значение в общественном обсуждении. Конечно же, речь не о современном феномене, а о состоянии души, которое столь же древнее, как и само человечество (Быт. 4:5). Но в последнее время люди стали позволять ненависти приводить их к совершению ужасных поступков. Именно в хорошо спланированных актах агрессии (амок), есть возможность увидеть, что испытывая ненависть, можно принимать рациональные решения, оставаясь незамеченным для окружения в течение длительного периода времени.

Очень жаль, что людей, думающих иначе, открыто дискредитируют. К сожалению, это не только не ведет к уменьшению ненависти, а наоборот усиливает ее, из-за чего люди оказываются в изоляции, и ненависть внутри их возрастает. Чтобы по-настоящему противостоять ненависти, нужно вести диалог с людьми, которых касается происходящее, и пытаться вместе уменьшить их недовольство. В противном случае обществу не справится с ненавистью.

Людям, страдающим от ненависти, я могу дать пару советов. В первую очередь я хочу подчеркнуть, что никаким помощником ненависть не является. Она наносит вред всем сторонам. Держась за ненависть, Вы остаетесь в ловушке прошлого. Прощение и отпущение вины другого человека помогает справиться с болезненными воспоминаниями. Говорить легче, чем делать, и именно поэтому не стоит отказываться от помощи душепопечителя в этом процессе. Когда Вы привлечете Бога и отдадите Ему то, что Вас тяготит, Он совершит все остальное, чтобы Вы исцелились. Он – Господь над всем этим.

Мысли о справедливости будут приходить снова, но все свои требования справедливости можно вручить Богу. Он все устроит

(Пс. 38:5). Еврейский поэт Иегуда Амихай выразил эту мысль в своем стихотворении «Место нашей правоты» следующим образом[14]:

> *Там, где всегда мы правы –*
>> *увянут все цветы,*
> *Место нашей правоты –*
>> *вытоптанные дворы.*
> *Сомнения, любовь*
>> *могли бы мир оживить,*
> *Как крот, как плуг –*
>> *землю взрыхлить.*
> *Лишь тихий шепот*
>> *слышен в месте том,*
> *где не стоит,*
>> *а уж разрушен дом.*

Клевета

У каждого человека есть потребность в общении с другими, чтобы делиться с ними чем-то. Это особенно важно, когда что-то идет не так. Вероятно, большинство людей осознают тот факт, что их мнение субъективно, и все же, оглядываясь назад, каждый упускает отдельные аспекты. В результате чего получается интерпретация пережитого, а не отчет, построенный на фактах. Воспоминания сильно искажаются с течением времени, и тогда в представлении информации возникает сильный перекос.

Сплетни, злословие – это заявления третьих лиц о происшедшем или сказанном кем-то, кого нет рядом. Должна существо-

---

14 *Amichai, Jehuda: Zeit. Gedichte. Frankfurt am Main. 1998*
Der Ort, an dem wir recht haben, wird ohne Blumen sein.
Denn der Ort, an dem wir recht haben, ist zertrampelt und hart wie ein Hof.
Zweifel und Liebe aber lockern die Welt auf – wie ein Maulwurf, wie ein Pflug. Und ein Flüstern wird hörbar an dem Ort, wo das Haus stand, das zerstört wurde.

вать возможность доказать, что именно было сказано, то есть истинность заявления может быть выяснена объективно. А иногда люди передают мнения о намерениях, что невозможно доказать. Это вообще вероятности, а не факты. Сплетня становится злом, когда создается видимость передачи фактической информации, однако передается лишь личное мнение, а факты и вовсе фальсифицируются сознательно или бессознательно.

В Германии это является, кстати, уголовным преступлением, поскольку клевета может нанести непоправимый ущерб репутации, даже когда невиновность будет доказана. Обычно презумпция невиновности идет перед обвинением, пока не будет доказана вина, но на практике все выглядит иначе. Обвинение обычно распространяется быстрее и шире, нежели доказательство невиновности, и невиновный остается «заклейменным», хотя обвинения против него были ложными.

К сожалению, я регулярно сталкиваюсь в церковных конфликтах с христианами, которые поступают именно так. Ради служения благому делу им кажется любое предположение и случайность подходящей пищей. Находясь в конфликте с кем-то, они выдают вымышленные предположения за действительность, разрушая репутацию и душевную жизнь других. Мне доводилось общаться с людьми, которые всерьез размышляли о самоубийстве после того, как их дискредитировали другие члены церковной общины. Например, пастор, приступивший к служению, столкнулся с враждебным отношением предыдущего пастора, потому что с появлением нового человека община осознала, что их руководитель десятилетиями удерживал церковь от роста. По мере того, как Богослужения становились более многолюдными, и в общине появлялась легкость, прежний руководитель чувствовал себя настолько обиженным, что стал принимать меры против нового пастора. Он пустил множество слухов и домыслов, которые осложнили жизнь новому пастору. Ради мира он покинул, в конце концов, общину, которая в результате распалась.

Апостол Павел сурово относился к людям, которые плохо отзывались о других (1 Кор. 6:10). Даже если кто-то чувствует, что с ним поступили несправедливо, то это не оправдывает злословия в адрес других. Здесь тоже стоит практиковаться в смирении. Тому, как обращаться с властью и влиянием, я рекомендую учиться на примере сыновей Давида, одновременно обращая внимание на свои собственные мысли и порывы сердца. К сожалению, мне часто приходится сталкиваться с тем, что люди призывают к справедливости и истине, но их побуждением является одно из четырех чувствований или мыслей, о которых я говорил. В конечном итоге, они разрушают общины и причиняют вред людям

❓ВОПРОСЫ ДЛЯ ЛИЧНОГО РАЗМЫШЛЕНИЯ

1. Обладаешь ли Ты властью в Твоем окружении, и каков Твой опыт в ее использовании?

2. Что Ты чувствовал, когда в последний раз достигал своего уровня некомпетентности? Как Ты поступил?

3. По крайней мере, ревность и зависть затрагивает всех. Есть ли в Твоем сердце чувства, которым там не место?

1.4 Сначала харизма и компетентность, затем должность

В Новом Завете упоминается известная в иудаизме историческая личность, которую я считаю образцовой (Деян. 5:34-39). Речь идет о Гамалииле (Гамлиил I, раббан), знаменитом знатоке Торы. Его можно назвать «богословским тяжеловесом», потому что он был, похоже, самым уважаемым ученым своего времени в иудаизме. Павел сообщал, что получил от него наставления, и создается впечатление, что их он считал особенно ценными (Деян. 22:3). В трактате Мишна (Сота 9:15) о нем говорится: «Когда умер Раббан Гамалиил Старший, слава Торы прекратилась, а чистота и обособленность исчезли.»

В Деяниях 5:17-42 рассказывается о том, как апостолы были схвачены первосвященниками за проповедь Евангелия, и предстали пред Синедрионом. Когда они предстали перед первосвященниками, и Петр разъяснил им, что «должно повиноваться больше Богу, нежели человекам», то первосвященники задумали умертвить их (Деян. 5:29-33). Но тут встал Гамалиил и предложил провести закрытое заседание без обвиняемых. Лука представляет его читателю как неизвестного книжника. Но он не был таковым, как я уже указал. В любом случае, он был признанным членом Синедриона. Мы не знаем занимал ли он еще какую-либо должность, помимо этой. Однако его слова явно имели вес в Синедрионе. Ему удалось успокоить людей, и привести начавшуюся суматоху в порядок. Он взял на себя руководство, мудро предложив членам Синедриона, что обвиняемые апостолы должны сначала их покинуть, чтобы Синедрион мог продолжить внутреннее обсуждение. В закрытом кругу он призывал своих единоверцев к осторожности. Он явно не был на стороне апостолов, на что указывает формулировка «людей сих». Однако члены Синедриона должны быть осмотрительными в своих решениях, ведь недавние примеры в их среде показали, что в ряде случаев религиозные лидеры восставали, собирая вокруг себя сторонников, и пытались создавать новые доктрины. Все они потерпели поражение, а их сторонники разбежались. И если апостолы такие же лжеучителя, то их труды погибнут с ними. Но если их труд от Бога, то Синедрион выступит против Самого Бога, чего никто не хотел бы. Поэтому члена Синедриона пришлось согласиться с Гамалиилом и освободить апостолов.

Гамалиил не был главой Синедриона, и все же его голос имел большой вес. У него было влияние, потому что он обладал компетентностью и репутацией. Общеизвестно, что труднее всего руководить людьми недоверчивыми и скептическими. В описанной ситуации Гамалиил должен был повести за собой людей рассерженных и возмущенных. Задача не из легких, но он справился. Члены Синедриона не только доверяли ему, но и полагались на его способность принимать верные решения. Когда человеку доверяют, то значит считают его честным и искренним. Однако это не означает, что ему можно вверить принятие решения, что он компетентен в этом. Доверять кому-то можно, основываясь на достоинстве и целостности личности человека, тогда как вверять что-то можно, лишь исходя из уверенности в его компетентности и способностях.

Как-то в моем окружении разыгрался такой сценарий. Во время образования одной из церковных общин на стороне лидера был человек, который хотел поддерживать его в служении. Они доверяли друг другу и были фактически друзьями, но этот лидер не был уверен в том, что его попечитель сможет помочь ему двигаться вперед. Но он ему доверял. Я смог помочь им прояснить их роли, что благотворно сказалось на их рабочих отношениях.

Здесь смешались доверие кому-то и уверенность в ком-то. К сожалению, это частая проблема в руководящих органах. Можно избежать стольких беспокойств и страданий, если не смешивать эти понятия. Люди, пользующиеся доверием у других, далеки от того, чтобы эти же люди были уверены в их способностях, а именно такая уверенность необходима для работоспособного органа.

Таким образом, Гамалиил изначально заявил о себе не благодаря своей должности, а своей компетентности, характеру и харизме. Тем же самым обладал Моисей, и то же самое можно увидеть у тех лидеров, которые оказывают длительное влияние на окружающее. Вот почему мне нравится учить на лекциях тому, что не «мы имеем послание», но «мы являемся посланием». Принятие послания тем, кому оно предназначено, во многом зависит от того, кто его передает. тем, кому оно предназначено. Авторитет приобретается не столько благодаря служебному положению, сколько благодаря компетентности и приданию значения другим людям.

Нечто подобное было между Моисеем и Иисусом Навином. Иисус Навин увидел в Моисее личность, которая не только ему показывала новые пути, но всему народу. Иисус Навин был уверен, убежден в том, что Моисей способен вести за собой народ. Он доверял старику и был уверен в его способностях, и поэтому ему было легко учиться у Моисея. Если Вы, как учитель, хотите формировать своего ученика, именно это отношение является незаменимым.

Еще в самом начале своего сотрудничества с Моисеем Иисус Навин должен был усвоить следующий урок: «Только в беде нужен ведущий, не в счастье»[15]. Тот, кто хочет вести за собой людей, должен уметь находить решение проблем, без этого лидерство невозможно. Когда все в полном порядке и люди счастливы, то многие хотят брать на себя ответственность и определять курс. Но когда приходят трудные времена, требующие от руководителей стойкости и внутренней стабильности, то ищут людей, способных вселять надежду и связывать страхи. Такие времена требуют большой порции мужества и отваги.

Точное происхождение Иисуса Навина остается для нас сокрытым. Мы знаем только, что он был сыном Нуна и принадлежал к колену Ефремову. Очевидно, что он пережил рабство в Египте, так что сталкивался с тяжелыми временами. Моисей был для него примером того, что препятствия преодолевать можно и должно. Они – часть человеческой жизни и основное поле деятельности

---

15 *Paschen, Michael / Dihsmaier, Erich: Psychologie der Menschenführung. Wie Sie Führungsstärke und Autorität entwickeln*

для руководителей. Самые большие задачи влекут за собой и самые большие препятствия. Препятствия – это обратная сторона успеха. Если между человеком и его целью нет никаких препятствий, то либо цели слишком скромные, либо человек находится в бессистемной активности.

Некоторым удается создавать много шума из ничего и вокруг пустяков. Нет никакого смысла просто много работать, нужно трудиться над правильными вещами. Мне часто встречаются люди, которые хотят начать церковь, но заняты лишь концептами, дизайном и развитием поклонения. Это все равно, что хотеть открыть свой бизнес, а заботиться лишь о дизайне интерьера помещений, да о логотипе, а не о продуктах и продажах. Правильные цели часто связаны с большими препятствиями.

Преодоление препятствий и руководство людьми требуют того, что в литературе по менеджменту называется «законом соответствия». Речь не об экономическом «законе соответствия производственных отношений характеру производительных сил», который происходит из марксизма, а о внутренней жизни личности. Этот закон говорит о том, что определяет успех или неуспех. Он гласит, что внутреннее представление человека о себе в конечном итоге определяет его жизнь и внешний облик. Это внутреннее представление и то, что человек о себе думает, рано или поздно проявится видимым результатом, и во всех сферах жизни. На мой взгляд у Гамалиила был правильный образ о себе, и это помогло стать ему тем, кем он стал. Не собственные жизненные планы и теории, в конце концов, определяют поведение и привычки человека, а его внутренний образ самого себя. Люди, которые не верят в себя, не могут далеко продвинуться в жизни.

Следующее графическое изображение опирается на график тренера по менеджменту Веры Ф. Биркенбиль. Бог заложил в каждого человека огромный потенциал. В принципе, у каждого есть возможность достичь высоких результатов. Однако процесс социализации, который важен и нужен, заставляет человека становится «нормальным». А это означает, что он учится быть по-

ИЗОБРАЖЕНИЕ 8. Потенциалг

средственным, «среднестатистическим», ведь все вокруг твердят: это не получится, это невозможно, а то нельзя.

Мое напутствие детям было в том, что они не обязаны становиться нормальными, посредственными, они могут быть неординарными. Как правило, люди не хотят принимать других такими, какие они есть, они считают, что знают, какими они должны быть. Я не был исключением, поскольку не раз предпринимал попытки сформировать детей так, как я считал на тот момент правильным. Как хорошо, что любовь многое покрывает, и мои дети просто забыли многие мои неправильные попытки (Пр. 10:12).

Человек приходит в этот мир или вступает на сцену жизни как гениальное творение (Пс. 138:14). Этим я хочу сказать, что человек уже совершенен. Понятно, что ему нужно будет пройти процессы развития и социализации. Однако в каждом человеке заложен огромный потенциал. Каждый может научиться всему, и поэтому достичь чего-то особенного.

Однако потом человек начинает вынужденно проходить через названные процессы. Он еще не знает, что ему следует делать, и что ему хочется делать. И сначала сценарий жизни пишет не он сам, а другие за него. В лучшем случае человек растет в такой семье, когда его одаренность раскрывается. В итоге приобретаются некоторые навыки, но другие остаются где-то вдали. А затем его «образовывает» школьная жизнь. Я осознанно подчеркиваю слово «образование», потому что оно не означает здесь ничего более, чем приспособленность к определенному рынку труда. И как только человека сочли «нормальным», он тут же должен узнать, что с этой адаптацией он далеко не продвинется.

Мне нравится приглашать людей потрудиться над своим восстановлением, чтобы попытаться переписать жизненный сценарий и переосмыслить роли. Ведь будет очень жаль, когда в конце жизни человек осознает, что жил по сценарию, написанному за него другими.

Американский автор комиксов Стэн Ли является одним из самых известных художников в США, потому что созданные им фигуры вошли в историю. Он внес значительный вклад в то, что маленькое издательство «Marvel Comics» превратилось в гигантский медиаконцерн. Однако добился он этого относительно поздно. До 39 лет он был никому неизвестной личностью. Свой первый прорыв он совершил со своей командой супергероев «Фантастическая четверка»[16]. Главный редактор попросил его создать еще одну фигуру супергероя. Дома он задумался над персонажем, автоматически наблюдая за мухой. И после долгих раздумий родилась идея нарисовать человека-паука (Spider-Man). А чтобы его читатели могли идентифицировать себя с ним, он решил его сделать подростком, ведь в те времена не было героев-подростков, и добавить ему личные проблемы. К своей идее Ли отнесся с энтузиазмом, представив ее своему главному редактору. Но тот ответил ему, что это худшая идея, которую он когда-либо слышал. Причины были слишком очевидны: Во-первых, никто не любит пауков. Во-вторых, подростки не могут быть самостоятельными героями, разве что помощниками. В-третьих, у супергероев не бывает личных проблем. Ли покинул офис совершенно подавленным.

Но он не мог перестать думать о человеке-пауке, поэтому решил создать очень короткую историю, и опубликовать ее как вставку в основной номер, который и так раскупят. После этого он не вспоминал уже о человеке-пауке, занявшись другой работой.

____

16 «Fantastic Four»

Когда стали известны цифры продаж, главный редактор влетел в кабинет Ли, говоря, что надо публиковать историю о человеке-пауке дальше, потому что он понравился людям. Человек-паук стал надолго самым важным персонажем издательства Marvel, а сегодня является и одной из самых известных фигур в истории кино.

Если бы Стэн Ли прислушался к своему главному редактору, он, вероятно, никогда не добился бы успеха на протяжении большей части своей жизни, как и издательство Marvel вряд ли бы продвинулось так далеко. Однако он последовал своему внутреннему чувству, и не позволил себе руководствоваться внешними обстоятельствами. Его внутренний мир влиял на его решения. Если бы он не был внутренне уверен, то последовал бы внешним импульсам. Рано или поздно внутренний мир человека определит направление его жизни. Именно поэтому Моисей был в состоянии преодолевать препятствия, когда они возникали у него на пути. Его внутренний образ соответствовал его внешнему облику. После его решающего столкновения с Богом, ему стала недвусмысленно понятна и его задача, и предназначенное для него Богом. Это существенно изменило его внутренний образ. Еще и поэтому так важно учиться у «великих» и взращивать себя внутри. Ведь когда человек почитает лидеров и учиться у них, он учится тому, чему они уже научились.

Не всякий стиль обучения, с которым человек сталкивается в своей жизни, походит на модель Моисея и Иисуса Навина. Есть и такие наставники, которые должны сопровождать человека лишь на определенном этапе. Особенно это касается образования. Тут учителя и наставники сопровождают ученика лишь на небольшом отрезке его биографии, пока он сам не сможет хорошо работать. Однако нужны и такие учителя, которые остаются спутниками на более длительное время, помогая человеку достичь уровня мастера своего дела. Встречи с ними являются яркими впечатлениями, как и их вопросы, подобные такому: «Хочешь ли ты оставаться на достигнутом или собираешься расти дальше в своем призвании?»

Такие учителя способствуют развитию упорства. Однако нужны как воля, так и личное желание человека учиться новому и совершенствоваться. У немцев есть пословица, что собаку на охоту не носят. Нужно самому оставаться учащимся, потому что знание может стать препятствием в развитии. Сложнее всего учить того, кто уже знает. Даже будучи учителем я не могу остановиться на том, что я что-то знаю. Незнание – это тот ресурс, который необходим для любого дальнейшего совершенствования. Великий греческий философ Сократ как-то метко сказал об этом: «Я знаю, что ничего не знаю.» Это осознание подстегивало Сократа в его личном развитии на протяжении всей его жизни.

В том, что Иисус Навин сопровождал Моисея до глубокой старости, позволяя себя обучать, он оставался учащимся.

? Вопросы для личного размышления

1. Ты уже работал над своим восстановлением?
2. Поразмышляй о своей жизни и проверь, не позволял ли ты вести себя людям по неверному пути?
3. Если необходимо, то запланируй шаги твоего восстановительного этапа.

2 Назначение Иисуса Навина

2.1 Необходимость ободрения

После 40 лет скитаний Израиля по пустыне народ оказался в степях Моава, и в живых не осталось никого из поколения Исхода, кроме Халева и Иисуса Навина (Чис. 26:65). Тем, кто умер, был запрещен Богом доступ в Землю, которую они презрели (Чис. 14:23-24). На этом заканчивалась руководящая роль Моисея, и должен был быть назначен новый лидер для нового поколения. В книге Чисел 27:18-23 это ясно описано. Не Моисей назначил Иисуса Навина своим преемником, вождем народа он был по повелению Бога. Всему народу было очевидно, что выбор был не человеческим, но Божьим. Такой выбор несет в себе лучшие условия для благословенного служения руководителя. Люди тоже могут принимать разумные кадровые решения и выдвигать вперед одаренных лидеров, но я верю, что духовное лидерство приносит наилучшие результаты, когда оно утверждено Богом и подтверждено людьми. Этот дуализм требует особенного внимания. Никогда не следует назначать людей на основании чьего-то личного откровения, что это предназначение от Бога. Иначе значимые кадровые решения будут отданы на произвол отдельных людей. Другие люди тоже способны слышать Духа Святого, и должны подтвердить это откровение.

К тому же для успешной духовной руководящей роли необходимо больше, чем Божье предназначение и одобрение людей. Как мы уже видели, и еще увидим, собственные решения и поведение человека, его характер определяют не в меньшей степени, будет ли служение плодотворным.

Второзаконие приближает нас и к окончанию Пятикнижия, и к концу жизни Моисея. И тут мы находим третью великую речь Моисея и его прощание. Как и в начале книги Второзаконие (Вт. 3:28), для него было особенно важно ободрить своего преемника:

Иисус Навин нуждался в этом ободрении, потому что стоящие перед ним задачи были совсем не простыми, и могли стать причиной бессонных ночей для того, кому надлежит их исполнять. Иисусу Навину не нужно было просить об ободрении. Моисей был наблюдателен и знал, в чем нуждается его преемник. Моисей обращал внимание на то, чтобы Иисус Навин получал новые подтверждения и поддержку, поскольку прошлые могли быть забыты или потеряли свою эффективность.

Когда человек призван и оснащен Богом для руководства, то, с одной стороны, он осознает свою задачу. С другой же, жизнь вносит свои коррективы в виде трудностей и подчас непроходимых препятствий. Свое бремя добавляет и продолжительность трудного этапа. Тогда даже наличие вдохновения, воодушевления и мотивации решить и преодолеть любые предстоящие задачи может столкнуться с тем, что человек просто выдохся. Как же так может случиться?

В юности я любил ходить в походы по горам. Мне нравилось наслаждаться видом вершин и панорамой, открывающейся сверху. Поднявшись наверх, я мог обозревать просторы ландшафта. От вида часто захватывало дух. Однако и подъем, и спуск были довольно сложны. Путь вниз часто бывал крутым и скользким. Нередко возникала опасность падения. Поход в горы для меня и сегодня сравним с жизнью человека, а особенно, лидера: в жизни мы то идем вверх, то вниз.

Часть 2: Иисус Навин. Характерные черты... **| 141**

Как естественны горы и долины в некоторых ландшафтах, так же естественны они и в биографии человека, а пребывание на вершинах жизни, как и в походе, редко бывает продолжительным. Конечно, хотелось бы задерживаться на них подольше, но настоящая жизнь не там. Духовная жизнь христианина, призванного быть солью и светом в этом мире, протекает не на вершинах, а во время восхождений и спусков, а еще чаще в долинах других людей. И лидер, как проводник, нужен как при восхождении, чтобы поддерживать и вести, так и в долинах, которые проходят люди. Однако каждому придется пройти свои долины. В «Истории Иосифа» (Ч. 1, глава 4.2) я уже рассказал о том, что долины обладают формирующей силой и конструктивно влияют на развитие человека.

Чтобы с одной вершины попасть на другую, нужно спуститься вниз. Иногда между горами есть ущелья, которые приходится пересекать. Такие переходы лучше совершать не в одиночку. Слишком высока вероятность падения. То же можно сказать об этапах жизни лидера, он зависит от доброго Пастыря, ведущего его (Пс. 22). Ведь несмотря на все победы и достижения, человек не застрахован от изнеможения и провалов. И они могут привести к резигнации и желанию сдаться.

Мне приходится нередко слышать от коллег и людей из моего рабочего окружения, что я слишком щедр на поощрение, содействие, назидание и ободрение, а есть более важные вещи для Царства Божьего, такие как глубокое и правильное учение. В конце концов, люди и так могут получить поощрение от Бога и людей. Я подвергну сомнению тезис о том, что мало кто нуждается в поддержке и содействии. В опросах компаний и организаций этот пункт поднимается чаще всего, наряду с признательностью. Сотрудники получают недостаточно похвалы и признания от своих руководителей, и слишком мало обратной связи. Из-за этого они не уверены в качестве своей работы и увольняются слишком рано или сдаются. Сотрудники, которых регулярно поощряют и хвалят, выполняют свою работу лучше и чувствуют себя более комфортно на рабочем месте. Поэтому будет справедливо сказать, что отсутствие поощрения можно назвать одной из самых больших ошибок руководства. Предприятия и компании, в которых царит культура благодарности и поощрения, более продуктивны. Это относится ко всем социальным институтам и особенно к церквям.

Себастьян Пурпс-Пардиголь в своей работе «Вести с умом» довольно убедительно демонстрирует, что согласно исследованиям в области нейронауки вера в человека и его поощрение оказывают существенное влияние на его продуктивность. Среди прочих он сообщает о математическом эксперименте, проведенном в Университете Констанца. Сорок участников были разделены на две группы, чтобы решить 14 математических задач за 10 минут. Однако прежде, чем приступить к выполнению заданий, каждая группа должна была в течение трех минут произносить одно предложение. Для контрольной группы предложение было: «Я решу как можно больше заданий». Тогда как тестовая группа получила: «Когда я столкнусь с новой проблемой, я скажу себе: «Я справлюсь». По завершению теста у последней группы показатель был на 53 % лучше контрольной. Поощрение или призыв поверить в себя пробудили скрытый потенциал участников. Они были в состоянии показать хорошие результаты, но неуверенность в себе была слишком высока, поэтому ее нужно было снять с помощью поддержки.

То же самое произошло с группой кадетов морской пехоты, которые участвовали в эксперименте в Тель-Авивском университете в 1995 году. С 25 участниками был проведен ряд тестов. После этого случайно выбранной половине всех кадетов в личных беседах было сообщено, что эти 25 наиболее устойчивы по отношению к морской болезни, поэтому смогут превзойти остальных кадетов по достижениям. Однако, чтобы не демотивировать остальных участников, они должны держать результаты теста при себе. Это утверждение никак не соответствовало истине. Тесты не показали ничего подобного. Просто хотели выяснить, действительно ли мнимый результат будет иметь влияние на устойчивость к морской болезни. После пятидневного плавания в море группа наблюдателей, которые должны были смотреть и оценивать «выполнение заданий» кадетов, и их другие показатели, получила удивительный результат. Те кадеты, которых убедили, что они будут лучше работать, действительно показывали лучшие результаты в среднем на 51 %, чем участники контрольной группы, и были действительно более устойчивы к нагрузкам в море, чем другая группа участников.

Уже довольно давно, я задаю себе ежедневно вопрос – где сегодня я могу быть поддержкой и содействием. Снова и снова я принимаю решение быть носителем добрых слов. Эти слова должны вселять надежду и уверенность, расправлять плечи и поощрять, соединять и преобразовывать, приносить любовь и исцеление, побуждать к новым началам. Готовность к таким словам – важное условие для руководителя. Кто хочет вести людей, должен уметь назидать и ободрять. Для этого в первую очередь необходимо распознать потребности другого человека.

В настоящее время мы живем в культуре критики. Будто недостаточно, если кто-то один высказался с критикой против публичного человека, совершившего ошибку, но его начинают разбирать со всех сторон. Очень многим людям страх перед такой ситуацией мешает подниматься. Вот почему необходимо поощрять людей.

Неудивительно, что Иисус Навин неоднократно получал слова поддержки и от Моисея, и от самого Бога. Об этом мы узнаем и из Книги Иисуса Навина (Нав. 1:5-9). Давайте рассмотрим вкратце эти ободрения.

> *Будь твёрд и мужествен; ибо ты народу*
> *сему передашь во владение землю, которую*
> *Я клялся отцам их дать им...*

> *Иисус Навин 1:6*

Поручение Иисусу Навину было сформулировано Богом коротко и ясно: Иисус Навин должен ввести народ в Землю, обещанную им Богом. Несмотря на человеческие слабости кандидатура Иисуса Навина не подвергается сомнению, и он пользуется полной поддержкой Бога. В книге Иисуса Навина его слабости не указываются, хотя они явно были, ведь он был просто человеком, а человеку приходиться бороться со страхами, трудностями, независимо от того, какое впечатление он производит на других.

Уверенность в своем поручении обеспечивает огромную защищенность при его выполнении. Это может подтвердить всякий, кто выполнял какую-либо работу, будучи неуверенным в ее правильности.

> «...только будь твёрд и очень мужествен, и тщательно храни и исполняй весь закон, который завещал тебе Моисей, раб Мой; не уклоняйся от него ни направо, ни налево, дабы поступать благоразумно во всех предприятиях твоих.»

Иисус Навин 1:7

Хотя Иисус Навин уже получил довольно четкое поручение от Бога, при Его полной поддержке, ему еще раз было сказано оставаться твердым и мужественным. Предыдущие слова были уже достаточно ободряющими, но за ними последовали еще раз слова содействия. Только уверенные и мужественные лидеры могут собрать людей и повести. Возможно, мужественный в остальном, Иисус Навин нуждался в этом укреплении от Бога. Мне поражает в этом отрывке, что Бог никак не упоминает его слабости. Люди же поступают часто иначе. Они ободряют, но добавляют конструктивную критику. Бог же в Его поддерживающих словах откладывает критику в сторону. Это особенно заметно в пророческих речах. В Исаии 42:3 говорится о грядущем Мессии, который трости надломленной не переломит, и льна курящегося не угасит. Таким образом пророк говорит, что у грядущего Божьего Слуги[17], каковым на мой взгляд является Христос, новое понимание правосудия, и судить

---

17 *В Синодальном переводе слово עֶבֶד переведено как «отрок», тогда как значение этого слова: Раб, слуга, подданный, служащий, подвластный. (Прим. переводчика)*

Он будет не по человеческому суду. Христос не похож на земных судей. В отличие от юстиции, которая смотрит не на человека, Он взирает пристально и видит больше, чем способен увидеть любой человек. Поэтому Его Суд – это в первую очередь возвышающий суд, а не подавляющий, Он слишком чуткий для иного.

Бог трижды повторяет свои слова поддержки и ободрения о мужественности и непоколебимости для Иисуса Навина с 6-й по 9-й стихи 1-й главы одноименной книги. Как уже отмечалось в этой главе, поощрение людей имеет большое значение. Для личности с такой лидерской ответственностью, какой был Иисус Навин, это еще важнее. В долгосрочной перспективе только лидеры с большой поддержкой могут выполнять свою работу. С какого-то момента своего служения они уже могут в том числе оглянуться на свои успехи в прошлом, что укрепит их дополнительно.

В заключении я хочу поговорить о Божьем обещании, что Он будет с Иисусом Навином. Это заявление имеет огромную значимость и важность.

> *«Не Я ли заповедал тебе быть твердым духом и мужественным?! Не бойся и не малодушествуй, потому что Я, ГОСПОДЬ, Бог твой, буду с тобой везде, во всех делах твоих!»*

> *Иисус Навин 1:9*[18]

Это обетование имеет имеет еще и потому огромное значение, поскольку многие верующие не осознают этой реальности или подменяют ее своими ожиданиями.

---

18 Приведен перевод под редакцией Кулаковых. В Синодальном переводе этот текст звучит так: «Вот Я повелеваю тебе: будь твёрд и мужествен, не страшись и не ужасайся; ибо с тобою Господь, Бог твой, везде, куда ни пойдешь.»

Нам стоит ждать не исполнения наших желаний, а Его присутствия, Его заботы, Его знания и Его действия. И это действие не надо понимать так, будто Бог все совершает по нашему усмотрению. Как христиане мы должны примириться с тем фактом, что Бог позволяет чему-то просто быть. Это Его решение – не все контролировать и не все направлять. Мы должны принять это как существенную характеристику Бога, иначе нам будет трудно устоять в вере и вынести происходящее. Божья власть – это могущество, укрепляющее верующих, а не сила, защищающая от всего и все убирающая с пути.

Это важное библейское послание было раскрыто особенно ясно в первой части этой книги, посвященной истории Иосифа. Если бы Иосиф верил, что Бог определяет все без исключения в жизни человека, то Бог бы утратил Свою роль любящего Обеспечителя и стал бы автором страданий Иосифа. А если бы Иосиф сосредоточился на Всемогуществе Бога и жил с представлением, что Бог все сделает в соответствии с представлениями Иосифа, то он бы впал в полное отчаяние от своей жизни. Бог Иосифа всегда был Богом «того, как есть». И в этом «так, как есть», Бог оставался всегда рядом с Иосифом и действовал в нем и через него, и привел в конце концов Иосифа к высшей точки его биографии.

Иисус Навин тоже мог довериться обетованию, что Бог будет с ним, в этом обетовании можем покоиться и мы. В бурные или спокойные времена, в дни добрые или злые: Бог сопровождает нас, со-чувствуя, со-ощущая. Он дарит нам Свое внимание и Свое присутствие. Будут дни, когда нам захочется, чтобы Бог нас вывел из негативных ситуаций, чтобы мы освободились сразу же, и у нас были только добрые дни. Но нет таких обетований для верующих. Горе и боль придут, как и потери и отвержение. Эти переживания – часть жизни человеческой и будут происходить всегда. На самом деле человек не может существовать без них. Австрийский психотерапевт Райнхард Халлер убедительно доказал в своей работе «Власть оскорбления», что определенная часть полученных обид и оскорблений позволяет человеку выработать собственную стойкость. Если человек постоянно закрыт от любых подавлений, обид, оскорблений, то его болевой порог снижается так, что любая мелочь задевает его. В своей работе он приводит практические примеры, которые разъясняют ход его мыслей.

На мой взгляд его наблюдения справедливы для большинства стрессов, с которыми сталкивается человек. Если человека оградить от всего, его защитные механизмы атрофируются настолько, что он теряет сопротивляемость. Поэтому я убежден, что Бог будет ставить перед нами задачи, которые нам необходимо преодолеть. Его любовь – любовь требовательная, изменяющая и делающая сильнее. Через испытания, которым мы подвергаемся, Бог изменяет не только телесные и духовные способности, но и наш характер и всю душевную жизнь. Мы приобретаем, так сказать, эмоциональную стабильность. Поэтому третье обетование Бога Иисусу Навину, данное каждому верующему (Мф. 28:20), не должно остаться не замеченным.

? Вопросы для личного размышления

1. Каждый человек нуждается в поддержке. Подбадриваешь ли Ты людей, когда можешь?
2. Окружаешь ли Ты себя людьми, которые ободряют тебя?

2.2 Приближение к Богу

Как мы уже видели, для Иисуса Навина уже довольно рано стала понятна важность быть близко к Богу. (Исх. 33:11). В этом отношении он следовал по стопам своего наставника Моисея. Перед принятием особо важных решений Иисус Навин тоже искал близости с Богом. На протяжении всей одноименной книги Иисус Навин находится в постоянном контакте с Богом. Однако его беседы и встречи с Богом отличались от бесед его наставника (Вт. 34:10). Его общение с Богом было намного короче общения Моисея. В книге Иисуса Навина 5:13-15 Бог общается с ним через посредника. Этот ангел, представившийся вождем воинства Господня, в первую очередь пришел для того, чтобы недвусмысленно объяснить Иисусу Навину: Бог исполняет Свои обетования и сражается за Израиль. Но взаимодействие Бога с Иисусом Навином отличалось и в другом от общения Бога с Моисеем. Я думаю, что это характерно для каждого верующего.

Поскольку я живу жизнью верующего, бросающейся в глаза, и общаюсь с лидерами, у которых не менее яркая жизнь в вере, то меня часто спрашивают о том, как выглядит моя молитвенная жизнь, и как Бог говорит со мной. Подчас звучит и вопрос о том, сравнимо ли мое приближение к Богу с подходом Иисуса Навина. Я с радостью отвечаю любому, кто спрашивает, что у каждого человека свой индивидуальный способ приближаться к Богу. Мне кажется, что это настолько важно, что я хочу затронуть этот вопрос здесь. Невозможно копировать друг друга. Мы можем лишь учиться друг у друга, но каждый должен найти свой собственный способ приближаться.

Однако очень важно отправиться на поиски своего способа, своего подхода. Контакт с Богом необходим любому верующему, особенно же тем, кто руководит другими. Лидеры должны жаждать Божьего присутствия, потому что это имеет решающее влияние на духовное служение. Я еще раз подчеркну, что успешность служения Иисуса Навина была обусловлена не столько его личностью, сколько содействием и присутствием Бога. Это важнейшее откровение проходит красной нитью через всю Книгу Иисуса Навина.

В Новом Завете Иисус не открывает нам ничего нового в этом смысле, когда в Евангелии от Иоанна дает понять, что Его последователи не могут приносить плодов без Него (Ин. 15:1-8). В притче о виноградной лозе Иисус подчеркивает также, что существует условие для Божьего присутствия: необходимо быть «пребывать в Нем» (Ин. 15:4-5). Для жизни ветви нужна лоза, необходимо быть соединенной с ней. Именно она снабжает всем жизненно важным, иначе ветвь увядает и умирает – о плодах уже и речи нет. Вот почему Иисус здесь подчеркивает, как важно быть соединенным с Ним. И в этот момент Он будто нарушает образ виноградной лозы. Ветвь не в состоянии решать, останется ли она на лозе, а вот человек может сделать выбор – искать ему близости с Богом или нет. В этой притче поражает то, что Иисус не призывает слушателей приносить плоды. Он просто описывает логическое следствие пребывания в Нем как на виноградной лозе.

> *Я есмь лоза, а вы – ветви; кто пребывает во Мне, и Я в нём, тот приносит много плода; ибо без Меня не можете делать ничего.*
>
> *Евангелие от Иоанна 15:5*

Иисус Навин осознал это факт довольно рано – он научился этому у своего наставника, и поэтому искал доступ к Богу. Этому стоит учиться у него.

На следующих страницах я хочу рассмотреть 10 основных способов приближения к Богу, которые покажут, что существуют различные типы верующих. Все эти подходы исходят не только из моего собственного откровения, но частично основаны на мыслях Билла Хайбелса и Гэри Л. Томаса.

Некоторым эти способы приближения помогут и им станет легче. Мне неоднократно встречались люди, потратившие годы жизни на копирование чужих способов приближения к Богу, что делало их духовную жизнь трудоемкой и вялой. Моим наибольшим желанием является то, чтобы мои читатели нашли свой собственный подход и практиковали его.

Можно обнаружить, что собственный путь доступа к Богу будет в какой-то мере путем доступа к самому себе. Для большинства людей один из этих десяти способов приближения к Богу является основным. Но у многих есть и второй, а то и третий, которые тоже являются для них значимыми. Более того я убежден, что все эти пути играют важную роль в жизнь христианина, — и наверняка есть что-то, что каждый может открыть для себя, потому что определенные этапы в нашей жизни требуют и определенных способов приближения к Богу.

Приближение к Богу, ориентированное на отношения

Многие верующие придерживаются способа приближения к Богу, связанного с отношениями. Люди с таким способом приближения к Богу прикладывают очень много усилий для общения с Богом, когда остаются в одиночестве. Для них не слишком продуктивно, да и не слишком приятно, проводить много времени наедине с Богом в молитве или чтении Библии. Их это утомляет и кажется однообразным. Таких людей часто мучает совесть из-за того, что они не могут проводить достаточно времени в «укромном месте» для молитвы, как другие в церкви. Но они не должны испытывать угрызений совести. Они получают свой доступ к Богу через коллектив или отношения с другими верующими. Оптимальные условия для таких людей — совместная с другими молитва и поклонение Богу, совместное изучение Слова Божьего. В конце концов, Иисус обещал быть среди тех, кто соберется во имя Его (Мф. 18:20). Таким образом Иисус дал обещание о Своем явном присутствии, когда люди собираются ради Него.

Мне нередко встречаются люди, которые невероятно обогащаются после конференций. Я же, напротив, часто чувствую себя после конференций довольно уставшим. Совместное пение, молитвы и рассуждение о Священном Писании тоже назидают меня, но множество впечатлений и путешествие отнимают у меня много энергии и я часто страдаю от эмоциональной перегрузки. Но типу людей, ориентированных на отношения, такие нагрузки, кажется, не доставляют никаких хлопот – положительный эффект совместного времяпрепровождения перевешивает все. Когда такие люди собираются вместе для совместной молитвы или изучения Библии, то переживают Бога по-особому и испытывают особую близость с Ним. Тот, кто открывает для себя этот способ приближения к Богу и использует возможности, которые предоставляет поместная церковь, например, малые домашние группы, испытывает особое пробуждение в своей жизни верующего.

Однако верующие с подобным способом приближения к Богу должны также понимать, что не у всех есть потребность в таком коллективном подходе, и проявлять понимание к тем, кто не хочет делиться своей верой в малой домашней группе, а предпочитает оставаться наедине с Богом. Я знаю немало людей, для которых поход на домашнюю группу скорее работа, чем назидание.

Приближение к Богу, основанное на ощущениях

Хотя этот способ достижения Бога присутствовал на протяжении всей истории Церкви, ему часто не уделяли должного внимания. Люди с чувственным способом приближения к Богу, переживают и любят Его всеми своими чувствами. Этот способ напоминает мне Псалом 33:9:

> *Вкусите и увидите, как благ Господь! Блажен человек, который уповает на Него!*

Люди, у которых способ приближения к Богу основан на ощущениях, обладают чувством прекрасного и особенно подвержены чувственным переживаниям. При этом задействованы могут быть все органы чувств: обоняние, вкус, слух, осязание и зрение. Такой тип людей познает Бога во время церемоний, связанных с предметами. Примером может послужить Вечеря Господня: через хлеб и вино люди такого типа переживают особенную близость с Богом, не просто как воспоминание о Крестном подвиге Иисуса. Им помогают предметы и в молитве, такие как свечи, запахи свечей или ладана во время молитвы. Чувственный контакт с этими предметами усиливает молитву, служит лучшей концентрации как на молитве, так и на Самом Боге. Определенные музыкальные стили, изображения помогают людям с таким способом приближения к Богу переживать Его присутствие особенно интенсивно.

Очевидно, что верующие с таким подходом предпочитают православные или католические церкви, потому что в них большее значение придается символам, образам и предметам, чем, например, в свободных церквях.

Такой способ приближения к Богу, строящийся на чувствах, по понятным причинам, имеет как свои преимущества, так и определенные недостатки. Чувства реальны, но они могут быть и обманчивыми, и им не следует придавать слишком большое значение. У людей с подобным способом приближения к Богу может развиться тенденция ставить чувственный опыт превыше всего. Однако из-за этого не стоит беспокоиться об ощущениях. Даже если они могут быть обманчивыми, это не значит, что они всегда затуманивают человеческий разум. Напротив, иногда они обращают внимание на то, что было упущено из виду. Они напоминают о тех ситуациях, которые похожи на уже пережитые, чтобы человек не попал в ту же ловушку.

Приближение к Богу, строящееся на традициях

Традиционалистский способ приближения к Богу похож на чувственный. Люди с таким подходом встречаются с Богом в ритуалах и символах. Не только в христианстве, в иудаизме тоже много ритуалов. В Новом Завете мы видим, что Иисус тоже участвовал в ритуалах, связанных с традиционным вероисповеданием. Например, в Евангелии от Луки 4:16 говорится, что Он посещал в субботу синагогу по обыкновению и читал там Писание. Для Иисуса это было что-то вроде традиции.

Существует немалое количество верующих, для которых очень важны традиции, являющиеся ядром их духовной жизни. Некоторые из близких мне христиан нуждаются в воскресном Богослужении. Без него они лишаются чего-то крайне необходимого. Для меня такие верующие имеют традиционалистский способ приближения к Богу. Для них важны утвержденный порядок и определенная литургия. Это может по-разному выглядеть. Это может быть ежедневная молитва утром, в обед и вечером. Такие люди не лягут спать, не помолившись. Таким образом, их религиозная жизнь очень дисциплинирована, в ней есть структуры, ритуалы, литургии. Дни церковного календаря могут тоже занимать важное место.

Людям со строящимся на традициях способом приближения к Богу, чтобы ощутить Божье присутствие могут помогать заранее сформулированные молитвы, такие как «Отче наш». С помощью молитв, священных символов и ритуалов они создают что-то вроде святого места, куда можно всегда прийти.

Конечно, у традиционалистского подхода есть не только преимущества. Недостатки заключаются в том, что ритуалы могут стать парализующими, когда превращаются в упрощенную формулу. Люди со способом приближения к Богу, строящимся на традициях, склонны навязывать другим свое представление о поклонении и духовности. Но есть множество христиан, которым устоявшаяся литургия и ритуалы не слишком нравятся, и они ищут другие способы, чтобы приближаться к Богу. Тут и необходима взаимная терпимость.

Приближение к Богу, опирающееся на интеллект

Существует группа верующих, которые особенно любит семинары и лекции, даже в свое свободное время они носят с собой сложную богословскую литературу. Эти люди никогда не смогут развить близкие отношения с Богом, если не обратиться к их разуму. Им необходимо изучать материал, который бросает им богословский вызов, а их вера расширяется и растет благодаря всему, что происходит в их разуме. Они любят литературу и изучение Священного Писания. Для них очень ценно обсуждение сложных вопросов веры и обмен аргументами. Только когда они что-то поняли, они могут быть плодотворными в практике веры. Уютная домашняя группа не сможет быть для них подходящим адресом, да и группа поклонения поместной церкви, потому что чувств и опыта других людей им обычно недостаточно для того, чтобы продвигаться вперед в своей жизни веры и углублять свои отношения с Богом. Они хотят идти в глубины познания Бога. Их не пугает кропотливое изучение библейских учений. Размышление о Боге – это для них духовная деятельность.

Такие личности важны для любой церковной общины, потому что при правильном оснащении они могут стать учителями Библии (Еф. 4:11). Церковные общины получают пользу от их аналитического взгляда и проницательности.

Однако с такими личностями связаны подчас тенденции, которые не слишком благоприятны для служения в церкви. Люди с интеллектуальным подходом могут стать всезнайками, уделяющими скрупулезное внимание каждой детали, которая в свою очередь может стать поводом для дискуссии. Они также подвергаются опасности накопления знаний ради знания, вместо того, чтобы жить верой из дел, которая есть у каждого христианина. «Многие знания» могут сделать человека гордым, и заставить его относиться недоброжелательно к тем, кто обладает меньшими знаниями, как они думают. Знание должно идти рука об руку с мудростью.

Приближение к Богу через заботу и служение

Способ приближения к Богу через служение другим можно назвать и подходом заботы. Служение – это основное поручение христианства. Иисус пришел в этот мир, чтобы послужить людям (Мк. 10:45), и на Его последователей распространяется поручение служить другим (Мк. 10:43). Но некоторые среди верующих ощущают особенное бремя служить другим и по-особому переживают Бога в этом. Такие люди сказали бы о себе, что чувствуют себя ближе к Богу, когда Он употребляет их как Свои инструменты. Они любят жить как можно ближе к церкви. Они чаще всего являются волонтерами и переживают в этом особую близость с Богом. Они видят Иисуса в других и получают духовную подпитку, служа другим и общине. Для них отдача себя другим и делу – не обязанность, а форма поклонения. Пока одни духовно подпитываются общением, изучением Писания или молитвой, тип «служителя» считает, что они должны что-то делать. Поэтому именно они в первую очередь практики и делатели.

Любой пастор будет рад видеть людей с таким способом приближения к Богу в своей церковной общине, потому что они берут на себя часть его работы и укрепляют те области, где не хватает сотрудников. Но, конечно, и у такого подхода есть свои недостатки. Люди, практикующие такой способ приближения к Богу, рискуют проявлять непонимание к тем, кто не готов прикладывать такие же усилия. К сожалению, они склонны также отдавать всего себя в общине, подвергая себя опасности пренебрежения своими близкими людьми. Другим негативным развитием событий может стать то, что человек начнет определять себя своим служением или ожидать чего-то компенсирующего служение, например, особого признания. На практике я чаще встречаю первое.

Приближение к Богу через созерцание

Людей с созерцательным подходом в настоящее время можно было бы описать как очень внимательных. Они тщательно следят за тем, чтобы у них было достаточно времени для чтения, письма и размышлений, потому что им необходимо время, чтобы разобраться с многочисленными впечатлениями, которые с ними происходят. У них особенно развита духовная чуткость, и поэтому они предпочитают находиться в тишине, а не в бурной среде с большим количеством активности. Последнее, как правило, их тяготит. Они могут проводить в уединении довольное долгое время, не считая это монотонным или пустым. Их идеальный день, вероятно, начинается с продолжительной молитвенной прогулки, которая заканчивается чтением Библии с пометками. Им нравится проводить время в тишине природы, где они могут полностью сосредоточиться на Боге и своей духовной жизни.

Личностям этого типа стоит всегда помнить, что Божье присутствие опирается не только на чувства. Мы ясно видим в Библии, что Божье присутствие не обязательно должно соответствовать нашим представлениям, и Он действует и тогда, когда мы ничего особенного не чувствуем. Известный этому пример – пророк Илия, который встретился с Богом, более, чем неожиданным для любого читателя способом. В 3-й книге Царств 19:11-18 говорится, что поднялся сильный ветер и разодрал и сокрушил горы. За этим были землетрясение и огонь. Но во всем этом не было Божьего присутствия, хотя все это было бы идеальной метафорой Божьего могущества. Но пришло веяние тихого и нежного ветра. Возможно, это и не ветер был, а лишь нежный шепот. В этом было присутствие Бога.

Приближение к Богу, наполненное движением и активностью

Активистский подход во многом противоположен предыдущему. Люди с таким способом приближения к Богу, чувствуют Его присутствие особенно, когда мчатся по жизни и заняты от кончиков пальцев ног до макушки. Они целеустремленны и хотят оставить незабываемый след своих дел. Их лучше всего назвать «двигателями», ведь заставить двигаться все и всех – их главная задача. Они воспринимают препятствия как личные вызовы, которые они должны преодолеть. Только когда их календарь переполнен, и они действительно заняты, они чувствуют близость к Богу, потому что в преодолении всех препятствий и проблем они видят и переживают сверхъестественную Божью работу. Окружающие иногда их жалеют, потому что они кажутся перегруженными работой, часто так и есть, потому что они склонны брать на себя больше, чем в состоянии выполнить. Я знаком с большим количеством таких людей, и мне хочется иногда им посоветовать меньше работать. Но это редко помогает, потому что им нравится такой образ жизни в вере. Для церкви они являются ценными людьми, и некоторые из оставляют значительный след в истории церкви. Мартин Лютер, лишь один из многих таких людей, обладавших невероятной работоспособностью и фактически сверхчеловеческим мужеством.

Таким людям необходимо заботиться о себе. Им стоило бы быть более милосердными по отношению к себе, когда они не достигают поставленных целей, и более милостивыми к другим, которые гораздо менее активны, чем они. Люди, которые не столь активны, не являются ни ленивыми, ни вялыми, у них просто другой образ жизни. К тому же христиане, чей способ приближения к Богу строится на активности, должны определять себя не по тому, как они активны, а по тому, кто они во Христе, в том числе учась просто быть, а не постоянно что-то делать и действовать. Бог любит человека не за его достижения или дела, которыми он превосходит других, а безусловно.

> *Мы не должны оценивать себя нашими поражениями и умалять до наших успехов.*
>
> *Неизвестный автор*

Приближение к Богу в постижении творения

Павел пишет римлянам, что Бога можно постичь в сотворенном Им. Он, так сказать, обращается к человечеству в творении, потому что Он в нем пребывает и через него видим:

> *От создания мира невидимые свойства Бога
> – Его вечная сила и божественная природа
> – вполне могут быть поняты через рассма-*

Римлянам 1:20

Потому и неудивительно, что существуют верующие, которых особенно привлекает природа. Они очарованы красотой разнообразных ландшафтов, будь то леса или моря, они в восторге от многочисленных живых существ. Пребывать на природе для них означает – приближаться к Богу. Они охотно ходят в походы, любуются закатами, наслаждаются животным и растительным мирами. Многие из них настоящие любители животных, и не потому что они им нравятся, а потому что для них это – духовное общение с Создателем. Свое свободное время покоя они предпочитают проводить на свежем воздухе, и часто их молитвы звучат во время прогулок по лесу.

Люди, имеющий такой способ приближения к Богу, должны быть внимательными к тому, чтобы иметь здравый баланс в этом. Быть погруженным в природу, и таким образом, пребывать с Богом – это хорошо, но нужно и появляться среди людей, чтобы оставаться светом и солью для своего окружения. Кроме того, Бог, видимый в Творении, ощутим и в других областях Сотворенного.

Приближение к Богу,
открывающееся в восторге и энтузиазме

Люди, открывшие для себя такой способ приближения к Богу, любят праздновать и встречаться с Богом в этой особенной манере. Их подход менее традиционен, он прежде всего связан с радостью в Господе, которая выражается в торжестве и праздновании.

---

19 *Приведен Новый русский перевод, в Синодальном переводе этот стих звучит так: «Ибо невидимое Его, вечная сила Его и Божество, от создания мира через рассматривание творений видимы, так что они безответны.» (Прим. переводчика)*

Часть 2: Иисус Навин. Характерные черты... | **159**

Празднование имеет глубокие корни в Библии. В Ветхом Завете было множество праздников во Славу Божью, и на страницах Библии мы встречаем, например, такую личность, как Давид, который мог восторженно славить Бога (2 Цар. 6:5,14). Празднование с энтузиазмом и восторгом вполне оправдано, потому что Бог достоин прославления. Людей, с таким способом приближения к Богу, привлекают Богослужения, у которых яркий, праздничный и веселый стиль, такой часто встречается в современных церквях. В моей церкви такой стиль тоже приветствуется. На одном Богослужении ведущий воскликнул с кафедры: «Давайте все радоваться, веселиться, и прыгать, кроме Йоханнеса, он не должен». Очевидно, что мои прихожане знают, что я не принадлежу к числу тех, кому нравится такой стиль Богослужения. Но мне все же нравится быть частью моей церкви.

Такой способ часто включает в себя и то, что такие люди жаждут особого сверхъестественного опыта общения с Богом. Их можно назвать более открытыми в отношении духовных даров, которые дает Дух Святой. Естественно, что праздновать хочется не беспрерывно. Но и тогда надо искать Бога и служить Ему. Поклонение все равно может происходить, потому что это прежде всего акт воли, а не эмоции.

Приближение к Богу через поклонение

Особенно в пятидесятнических церквях широко распространен способ приближения к Богу через поклонение. В Псалмах мы находим немало песен хвалы, которые стали образцом христианской культуры поклонения. Люди такого типа особенно восприимчивы к музыкальному прикосновению. Они любят, чтобы время музыкального прославления и поклонения Богу длилось долго на воскресном Богослужении, а также посещать собрания поклонения. Там они могут по-настоящему перезарядить свои батарейки. Нередко такой подход используется для собственной жизни. Когда необходимо принять решение люди такого типа уходят и слушают музыку поклонения, чтобы в получить в Божьем присутствии мир и наставление.

Поскольку такой способ приближения к Богу довольно распространен, те христиане, кому он свойственен, склонны идеализировать этот подход. Люди, которых не особенно касается музыкальное поклонение, кажутся им недуховными. Но, как я уже упоминал, поклонение Богу происходит не только на Богослужениях с особой атмосферой и особенной музыкой, намного чаще – это скорее сознательный выбор. Поэтому и тем, кто поглощен музыкой, стоит с пониманием относиться к братьям и сестрам по вере, которые находят такой способ приближения к Богу менее привлекательным для себя и предпочитают другие.

Найди свой собственный способ приближения к Богу

Как и любые попытки дать четкое определение человеческим типам, это список не претендует на исчерпывающую полноту. Человеческие личности слишком разнообразны, чтобы создать какую-то абсолютную картину. Однако здесь собраны, по крайней мере, основные типы. Конечно, у многих людей есть какой-то главный способ приближения к Богу, но у большинства два или три способа, имеющих важное значение для них. Поэтому они воспринимают себя как смесь различных типов. Это вполне закономерно. Во всех этих способах главным является то, чтобы человек нашел свой собственный способ, чтобы приближаться к Богу. О жизненной необходимости контакта с Богом я уже писал.

Следует отметить, что каждому человеку в процессе своей жизни приходится исполнять определенные роли. В какой-то момент профессиональной карьеры человек может перестать быть не только работником, но и лидером. В личной жизни человек может потерять супруга, и даже детей. В духовном контексте задачи и роли тоже изменяются с течением жизни. Таким образом определенные времена требуют и способствуют и определенных способов доступа к Богу. Это означает, что способы приближения к Нему могут меняться, а иногда даже должны. Мать грудничка не может находить достаточно времени на посещение собраний в вечернее время довольно долгое время. Ребенок нуждается в ней, а у нее ограниченные запасы энергии. То же может происходить и с отцами. Иногда я сталкиваюсь и с тем, что для духовного руководителя посещение каждого церковного мероприятия становится бременем в моменты кризисов их церкви. Это может превратить в нагрузку приближение к Богу, ориентированное на отношениях, или проявляющееся в служении или заботе о других, и таким людям приходится искать новые для себя пути. Люди, опирающиеся на интеллект в своем способе приближения к Богу, могут быть настолько перегружены учебным материалом во время учебы и подготовки к экзаменам, что для них даже чтение Библии становится прессом. Тогда им тоже необходимо найти для себя новые пути, которые не будут столь сильно давить на них.

В основном, здравая смесь хороша для духовного роста. С одной стороны, важно знать свои личные способы, помогающие приближаться к Богу, и ориентироваться на них в своей жизни. С другой стороны, хорошо, когда другие способы доступа к Богу бросают вызов. Если ты уже нашел свойственный тебе путь, то я надеюсь, что ты активно им пользуешься. Если же вопрос остается еще открытым, то я советую изучить и найти тот, который кажется тебе более привлекательным.

Я хочу твердо заявить, что для каждого есть свой путь. Бог хочет встречаться и общаться с каждым человеком, поэтому пути к Богу будут всегда открыты для всякого. В истории были времена, когда приближаться к Богу было не так уже и просто. У народа Израиля была Скиния – своего рода передвижной Храм. Пока они как кочевники обитали в пустыне, находясь постоянно в пути, этот шатер был их Храмом. Позднее они построили Храм из камней. Храм был строго разделен, был внешний двор и внутренний, притвор священников, Святилище и та часть, которая назвается Святое Святых.

В те времена народ Израильский четко понимал разницу между Богом и человеком. Бог понимался как Святой и Непорочный. Себя израильтяне считали маленькими, уязвимыми и полными недостатков. Поэтому им было ясно, что они не могут в своей испорченности, со своими ошибками, проблемами, которые они постоянно создают, – предстать пред Богом. Вот почему последняя комната – Святая Святых – была отделена тяжелой завесой. Это помещение давало народу Израильскому ощущение, что Бог посреди них, что он не далеко. Но у них не было доступа в это помещение. Их недостатки, пороки, их испорченность и развращенность делали невозможным общение с Богом. Только раз в год первосвященнику было позволительно войти в это помещение после длительной подготовки. Представляя пред Богом весь народ, он был очень близок к Нему.

Но это не те отношения, какие бы Бог хотел иметь с человеком. Он жаждет настоящего, личного общения с каждым из нас. Поэтому Бог должен был сделать что-то, что устранило бы причину этого разделения между Им и человеком. Вот почему Он послал Своего Сына. Он был схвачен. Ему было предъявлено ложное обвинение. Его осудили и казнили. При полном отсутствии вины с Его стороны. Хотя Иисус умер не невиновным. На Него была возложена вина всего человечества. Благодаря этому Иисус устранил то, что отделяло человека от Бога: вину каждого и неспособность каждого быть хорошим. Когда Иисус умер на кресте, произошло нечто особенное: тяжелая завеса, отделявшая Святое Святых, разорвалась сверху донизу. Как будто Бог провозгласил: «Смотрите, вход теперь свободен. Приходите ко Мне. Ваша вина, ваши ошибки, ваше самоосуждение и ваши сомнения не должны уже стоять между нами. Иисус открыл путь к Богу. Теперь возможны личные, особенные, очень близкие отношения с Богом. Итак, найдите свой способ приближения к Богу, чтобы входить к Нему, если вы еще его не нашли.

2.3 Обучение Слову Божьему

Бог несколько раз ободрял Иисуса Навина взять землю, обещанную Им. И когда Иисус Навин и его люди уже были готовы сделать это, то Бог обращает его внимание на одну книгу:

> *Да не отходит сия книга закона от уст твоих; но поучайся в ней день и ночь, дабы в точности исполнять всё, что в ней написано: тогда ты будешь успешен в путях твоих и будешь поступать благоразумно.*

> *Иисус Навин 1:8*

О какой книге здесь речь? Можно предположить, что автор говорит о Законе Моисея – Торе. Иисус Навин продолжает путь Моисея и подчиняется наставлениям пророка Моисея. Уже ясно, что у Иисуса Навина были близкие встречи с Богом, и с Богом он был в тесном общении. К тому же рядом с ним был священник Елеазар, кто тоже обращался к Богу с вопросами (Чис. 7:21). Тем не менее письменные наставления Бога оставались незаменимыми для Иисуса Навина. Соблюдение этих наставлений должно было вести Иисуса Навина к успеху на его пути. Он должен был руководствоваться инструкциями этой Книги, несмотря на все свои знания. Несмотря на весь опыт его общения с Моисеем, эта книга должна была быть основополагающим авторитетом для его жизни и труда. В этом смысле Иисус Навин мало отличался от сегодняшних христиан, для которых Библия обладает важнейшим авторитетом.

Перечитывая и цитируя

В этих стихах ясно виды два Божьих утверждения относительно Торы. Во-первых, Иисус Навин должен был читать и изучать эту книгу. Другими словами он должен был быть готов учиться и быть открытым для наставлений Божьих. Каждому верующему стоит подражать Иисусу Навину и быть готовым к обучению, когда идет речь о содержании Библии. Особенно это касается руководящих личностей (1 Тим. 3:2; Тит. 1:9).

Мы видим, что Павел очень похожим образом демонстрирует важность Писания своему ученику Тимофею (1 Тим. 4:4-16). Павел описывает его как своего рода духовное «питание» (1 Тим. 4:6), которое полезно и имеет особую ценность (2 Тим. 3:15-17). Колоссянам же Павел пишет, что учение о Христе должно стать неотъемлемой частью жизни церковной общины:

> *Пусть в вас живет слово Христа во всем его богатстве. Учите и наставляйте друг друга со всякой мудростью, и с благодарностью в своих сердцах пойте Богу псалмы, гимны и духовные песнопения.[20]*

Колоссянам 3:16

Как Святой Дух обитает в верующих (1 Кор. 3:16; Рим. 8:9-11), так и правильное учение об Иисусе Христе должно в равной мере обитать посреди них, тогда оно будет раскрывать свою благотворную силу посреди верующих (Мф. 4:4).

К моему сожалению, я должен сказать, что в среде верующих обитает много совершенно иных слов вместо слов Христа. Во время душепопечительной беседы люди неоднократно говорили мне, что негативные слова, сказанные о них в прошлом, до сих пор звучат внутри них. По моему мнению слова, которые другие говорят о человеке, или слова, которые он сам говорит о себе, должны сопоставляться со Словом Христа, которое обитает в среде верующих.

---

20 Новый русский перевод. В Синодальном переводе это отрывок звучит так: «Слово Христово да вселяется в вас обильно, со всякою премудростью; научайте и вразумляйте друг друга псалмами, славословием и духовными песнями, во благодати воспевая в сердцах ваших Господу». (Прим. переводчика)

Однако, к сожалению, люди позволяют уводить себя от источника благословения, возвращаясь к своим переживаниям и воспоминаниям. Вместо того, чтобы позволить Божьим словам действовать, они ждут лучших времен. Но наступят ли лучшие времена – неизвестно, да и у человека нет за пазухой запасной жизни, которой он мог бы воспользоваться, если эта не сложится.

Жизнь происходит здесь и сейчас, а не в прошлом. Как-то я спросил одного человека во время душепопечительской беседы, почему он повторяет день ото дня негативные слова и вспоминает негатив, и благодаря совместным размышлениям он пришел к выводу, что ему это необходимо, потому что иначе пришлось бы взять на себя ответственность за свою жизнь (см. Часть 1, 4.2). В конце концов, этому человеку пришлось понять, что дальнейшее перекладывание ответственности ни к чему не приведет. Тогда он решил, цитировать Божьи мысли о своей жизни. Я уже касался вкратце того факта, что не всегда мысли о прошлом можно назвать воспоминаниями (Часть 2, 1.3). Воспоминания можно реконструировать, а не проигрывать их внутри себя снова и снова как пластинку. Такое часто можно встретить у супружеских пар, чье супружество распалось или находится на грани разрыва. Хотя все родственники и знакомые видели, что пара была счастлива друг с другом, по крайней мере, частично, и переживала прекрасные моменты, оба супруга уверены, оглядываясь назад, что ничего хорошего не было в их супружестве, и все не имело никакого значения. Но это просто остро связано с их настоящим состоянием души, измученной многочисленными конфликтами.

Эти конструкции необходимо подвергать сомнению снова и снова. Ведь легче принять новые мысли и забыть прошлое, когда его уже невозможно изменить.

Действуя и практикуя

В Божьем обращении к Иисусу Навину видна и практическая сторона Божьего слова (см. Нав. 1:8).

Одно дело – услышать Божье Слово, понять его и усвоить. И другое – применять на практике услышанное и понятое. Большинству немцев знакомо высказывание: «Знание – сила». Эта мысль изначально восходит к английскому философу Фрэнсису Бэкону, и уже давно стала крылатой фразой, используемой для обозначения всех видов знаний. Однако практика показывает, что незнание ничего не производит, тогда как знание обладает силой лишь тогда, когда оно применяется. Есть немало людей, знающих очень много, но не умеющих применять это для своей пользы. То же самое относится к Слову Божьему, которое приносит плоды лишь тогда, когда его применяют на практике. Поэтому Иисус Навин должен был изучать Слово, чтобы действовать соответствующим образом. Важно не только знание, но и действие. Они идут рука об руку. Написанное Слово Божье благословляет других, когда оно передается словом и делом.

Иисус Навин был призван быть служителем Слова. Ему нельзя было упускать его из виду. В своих обеих книгах Лука то же сообщает о служителях Слова. В Евангелии от Луки 1:2 он говорит вероятно о группе людей, записывавших и тщательно документировавших жизнь Иисуса и деяния Апостолов для потомков. Но в Деяниях апостолов 6:4 это же обозначение относится к апостолам. Мое желание, чтобы духовные лидеры также воспринимали себя служителями Слова, пусть и не считая себя апостолами.

Иаков, брат Господа, стал «мужем дела» благодаря своему посланию. В нем он особенно подчеркивает, что Библейское послание, после того как стало понятным, должно быть воплощено в жизнь и приносить плоды:

Будьте же исполнители слова, а не слышатели только, обманывающие самих себя. Ибо, кто слушает слово и не исполняет, тот подобен человеку, рассматривающему природные черты лица своего в зеркале: он посмотрел на себя, отошел и тотчас забыл, каков он. Но кто вникнет в закон совершенный, за-

Иакова 1:22-25

Иаков сравнивает Священное Писание с зеркалом. Тот, кто читает Библейское послание, смотрится в него, как в зеркало, потому что через Слово Божье он может познать самого себя. Тот, кто не поступает в соответствии с Божьим Словом подобен человеку, который на мгновение взглянул в зеркало, но тут же отошел и забыл увиденное. Поэтому Слово не имеет в нем долговременной силы, если он не действует в соответствии с ним. Когда верующий читает библию, он получает благословенную возможность познавать себя. Он может познать, что Бог его любит, и что Он сделал для него. Он видит, как Бог относится к нему, и что готов сделать для него. Более того он переживает исполнение Божьих обетований и их потенциал. Исправление неправильного поведения тоже может происходить благодаря Божьему слову. Однако если верующий человек не применяет на практике прочитанное, то все положительное, что может последовать, не сохраняется в его жизни. Иисус Навин был исполнителем Божьих Слов независимо от своего окружения (Нав. 24:15). Мы, веруя Богу, призваны поступать так же, как Иисус Навин. Не человеческая воля руководит нами, но Божья, которой стоит подчиняться.

? Вопросы для личного размышления

1. Чье Слово обитает в Тебе? Живут ли в Тебе слова, которые о Тебе говорили люди, или слова, которые Ты о себе думаешь сам и говоришь?

2. Готов ли Ты оставить свои умозаключения и позволить Божьему Слову и Господу судить о тебе?

2.4 Исполненный мудростью Божьей

Тридцать четвертой главой Второзакония Тора подходит к своему завершению, и это происходит потому, что умирает ключевая личность этих книг. В этой главе сообщается о смерти великого пророка Моисея. После него в Израиле не должно было быть пророков такого масштаба. Иисус Христос был связан с Моисеем, но превзошел его. Однако, если исключить Иисуса, то не останется никого, кто был бы так близок к Богу, как Моисей.

Но как нам известно, Бог не оставил свой народ без руководителя. Иисус Навин стал к тому времени зрелым лидером, готовым к предстоящим задачам.

> *И Иисус, сын Навин, исполнился духа премудрости, потому что Моисей возложил на него руки свои, и повиновались ему сыны Израилевы и делали так, как повелел Господь Моисею.*

> *Второзаконие 34:9*

Для автора книг Моисея Дух Божий – это Дух премудрости, потому что Он передает слушателю[21] мысли Бога в нужное время. Моисей таким образом был водим Богом, и теперь эта божественная премудрость переходила к Иисусу Навину. И речь здесь не человеческой философии или любви к мудрости, а именно о вдохновении Духом Божьим.

Во многих религиях мудрость относится к чему-то божественному. Но лично я различаю мудрость человеческую и божественную, как это делал и Павел (1 Кор. 2:6-13). Человек может, благодаря своему опыту, достичь определенного уровня зрелости и так

---

21 *В прежние времена Писание читали вслух, в том числе для себя. (Прим. переводчика)*

прийти к мудрости. Это ценно, но это не та мудрость, в которой нуждается духовный лидер. Божья премудрость больше, чем знание, собранная информация и их применение в нужное время. Человеческую форму мудрости ни в коем случае нельзя игнорировать или умалять. К ней надо стремиться, но ее следует отличать от божественной премудрости. Естественно, мы знаем, что человек может поступать правильно, опираясь как на свои личные знания, так и на божественное вдохновение. Божественная премудрость – это спонтанное влияние, исходящее от Духа Святого. Нам известно, что при всей интеллектуальности и уме, в некоторых ситуациях человек может быть просто ошеломлен и дезориентирован. Поэтому так важно для духовных лидеров иметь небесный источник мудрости.

В Библии мы находим и другие примеры, когда мудрость является даром, как и в случае с Иисусом Навином (3 Цар. 3:5-13; Лк. 21:14-15; 1 Кор. 12:8; Иак. 1:5). Если бы мне нужно в двух словах объяснить слово «мудрость», я бы сказал, что это способность поступать правильно в различных ситуациях и жизненных испытаниях. Однако я хотел бы подчеркнуть, что такое определение не дает адекватного объяснения библейской концепции мудрости. Мудрость в Библии это нечто большее. Но исчерпывающее объяснение заставило бы выйти далеко за рамки нашей темы. Поэтому в моих рассуждениях я опираюсь лишь на некоторые части Библии, такие как послания Павла и Иакова.

В послании Иакова мудрость оценивается очень высоко. Однако Иаков пишет о ней несколько иначе, нежели Павел. Он отличает мудрость, применяемую деструктивно, от мудрости, применяемой конструктивно. Мудрость лишь тогда становится правильной мудростью и обладает небесными характеристиками, когда ведет к правильным действиям (Иак. 3:13-16). Мудрость, ведущая к неправильным действиям является мудростью врага. Она имеет, так сказать, дьявольские свойства. Поэтому Иаков делает очень сильный акцент на практическом аспекте мудрости. Он описывает только некоторые характеристики мудрости, которые соответствуют смыслу его послания. Однако для меня также очевидно и то, что без мудрости очень трудно длительное время руководить какими-либо организациями или общественными институтами. То же можно отнести к небольшим командам или группам. Люди, которые хотят руководить другими, должны уметь действовать мудро. Без мудрости невозможен хороший характер. Иаков не пишет об этом прямо, но можно понять из контекста следующей цитаты:

> *Но мудрость, сходящая свыше, во-первых, чиста, потом мирна, скромна, послушлива, полна милосердия и добрых плодов, беспристрастна и нелицемерна.*
>
> *Послание Иакова 3:17*

Мудрость всегда отразится на характере человека. Мудрые люди миролюбивы, сердечны и готовы принять искренние аргументы. Они в равной степени сострадательны, беспристрастны и чистосердечны. Таким образом, мудрость – это не только ум, но и способность принимать другого человека. На моих семинарах я люблю делиться одной ключевой мыслью о том, что людей интересуют не наши знания как лидеров, а то, чем мы являемся для них, и то, что они для нас важны. У духовных лидеров, кажущихся холодными и отстраненными, рано или поздно возникнут проблемы с прихожанами. Если по своей природе лидер не коммуникабелен, то тем мудрее ему надо быть в общении со своими сотрудниками. Никакая компетентность и никакие знания не помогут, если их приносить людям без достаточной мудрости.

После того, как мы убедились в важности мудрости, давайте обратимся к вопросу о том, как ее обрести. Как я уже отметил, во многочисленных местах Писания мудрость рассматривается как подарок, поэтому ее стоит просить у Бога, как и советует Иаков (Иак. 1:5). Однако, как и во всем другом, что касается духовной жизни, человек должен активно и непрерывно участвовать в собственном совершенствовании. Мне очень симпатичен метод педагога

Вальтера А. Гонга. На мой взгляд он очень ценен, когда речь идет о приобретении мудрости. Модель Гонга охватывает три этапа:

1. Собрать и понять важную информацию
2. Применить полученные знания к собственной жизни и расширить их в соответствии со своими целями и ценностями.
3. Передать примененные знания другим людям для их пользы.

Я думаю, что на собственном опыте каждому знакомо, что приобретенные знания без применения недолговечны. То, что выучено, но не используется, быстро исчезает из памяти. Пасторы и служители сталкиваются с этим особенно в отношении древних языков, которые они изучают во время учебы в высшем учебном заведении. Если они не будут регулярно работать с этими языками, то через несколько лет служения они испарятся. Тогда такой «мертвый язык», как античный греческий койне, действительно станет мертвым. С другой стороны то, что прожито и усвоено опытным путем, не так легко изгладить, поэтому применение знаний прямо-таки обязательно. Если же знания еще и передаются, то это полезно и для того, кто передает, ведь человек еще раз осмысливает свои знания и опыт, одновременно становясь благословением для других людей, поскольку обогащает их жизнь знаниями, образованием и показывает им новые перспективы. Поэтому я говорю своим ученикам на занятиях, что мои знания так и останутся моими, пока они не начнут их применять в своей жизни и не передадут дальше. В противном случае они так никогда и не станут их знаниями. Только применяя, углубляя и передавая дальше, знания становятся личными знаниями.

Особенно последнее в этой череде побуждает меня снова и снова работать над своей мудростью, потому что, как верующие, мы призваны благословлять (1 Петр. 3:9). Петр имеет в виду, прежде всего, словесную передачу благословения, но оно может выражаться и в совете, и помощи, да и сам человек может буквально стать благословением для людей, если он их ободряет.

Далее мы рассмотрим так называемые «лезвия» жизни. На этом изображении представлены различные социальные слои и группы, с которыми человек делится приобретенными знаниями.

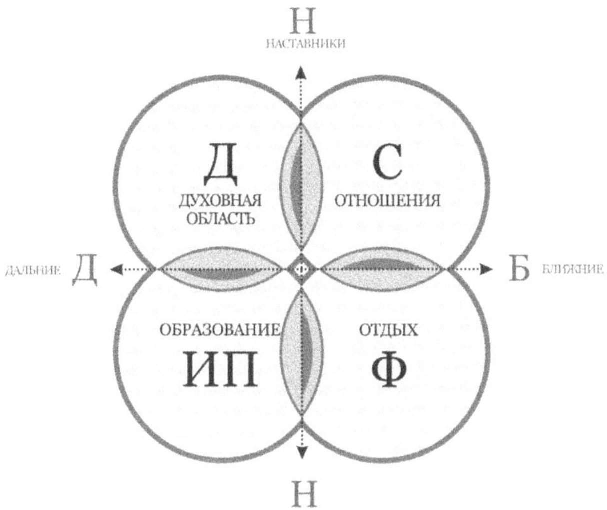

ИЗОБРАЖЕНИЕ 9. «ЛЕЗВИЯ» ЖИЗНИ

Эта иллюстрация заимствует идею Стивена Л. Огнэ и Томаса Р. Небеля[22]. Она представляет своего рода «лезвия» жизни. Эта мысль ассоциируется со словами Екклесиаста о том, что инструмент должен быть подготовлен, как топор (Еккл. 10:10). Только когда человек уединяется, чтобы трудиться над своей духовной жизнью – своего рода затачивание лезвия бритвы, тогда он сможет благотворно действовать посреди и на других людей. Все аспекты человеческого бытия требуют внимания и ухода: телесный аспект (Ф), интеллектуально-психологический (ИП), социальный (С), а также духовный (Д). В противном случае человек рискует перегореть.

Знаменитый автор бестселлеров Стивен Р. Кови в одной из своих самых известных книг «Семь навыков высокоэффективных людей» приводит модель навыка «затачивать пилу», которая все-таки отличается от инструмента из Еккл. 10:10, но тоже должна быть всегда заточена, чтобы происходило непрерывное самообновле-

22 *Перевод цитаты из книги Ogne, Steven L. / Nebel, Thomas P., приведенной в библиографии (Прим. переводчика)*

ние. Он рассказывает историю, которую я считаю тоже полезной, для нашего «лезвия». Речь о человеке, который хочет срубить дерево в лесу. Случайный прохожий видит совершенно измученного мужчину и интересуется у него, чем он занят. Тот отвечает, что это же очевидно – пытается срубить дерево. Но вопрос был скорее риторический и касался не столько рода занятия, сколько того, почему этот человек так изможден. Тот отвечает, что пилит дерево уже «более пяти часов», и это действительно тяжело. «Тогда почему бы Вам не сделать перерыв на несколько минут и не наточить пилу? Я уверен, что тогда Вы будете работать лучше и быстрее»[23], – спрашивает человек у трудящегося. Но тот категорически отказывается, у него нет времени на заточку. В конце концов, ему же надо пилить.

Эта короткая история, кажется, не требует пояснений. Чтобы пилу можно было эффективно использовать, ее необходимо регулярно затачивать. То же самое происходит с моделью «лезвия», которую я описал ранее. Это означает, что надо находить время для совершенствования различных слоев. Во все эти области необходимо вкладывать себя регулярно и сбалансированно.

> *Если бы у меня было восемь часов на то, чтобы срубить дерево, шесть из них я бы потратил на заточку топора.*

Авраам Линкольн

Инвестиции в самосовершенствование требуют от человека его личного желания и собственной инициативы. Однако это совершенно необходимо, чтобы человек мог возрастать в мудрости и зрелости. Чтобы наточить лезвие, нужна воля и сила, но это безмерно облегчает собственный труд.

---

23 Перевод цитаты из книги Covey: Die 7 Wege zur Effektivität, приведенной в библиографии (Прим. переводчика)

В первой части книги я уже упоминал, что рост и совершенствование имеют свою цену (Часть 1, 2.2). Они не происходят в зоне комфорта, но расширяют ее. Те процессы, через которые приходится проходить, неприятны для большинства людей. То же самое касается мудрости. У нее есть, и об этом лучше всего сказано в Притчах 23:23:

> *Купи истину и не продавай мудрости и учения и разума.*

В Притчах же мы находим и отеческий совет, который называет нам четыре вещи, ради которых стоит расщедриться. Мы уже знаем, что их цена – собственная инициатива, усилия и выдержка. Но чего еще стоит мудрость? В Притчах 9:10 мы видим с чего она начинается:

> *Начало мудрости – страх Господень, и познание Святого – разум;*

Страх Господень или благоговение перед Богом означает, что мы высоко ценим и глубоко почитаем достоинство и величие Бога. Тот, кто благоговеет перед Богом, позволяет Богу быть Богом. Он уважает Его в Его решениях и заповедях. Благая Весть для грешников состоит в том, что по Божьей милости нам отпущены грехи. Но только благоговение перед Богом может привести нас к свободе от грехов тайных. Потому что страх Господень проявляется особенно тогда, когда человек стоит один перед Богом и за ним никто не наблюдает. Тот, кто в хождении пред Богом развивает высокий уровень честности и искренности, развивает мудрость.

Некоторое время тому назад один близко знакомый мне бизнесмен совершил большую ошибку. Он уговорил клиента на сделку, которую считал безопасной, но все пошло не так. Сделка состоялась, однако рассчитанная выгода для третьих лиц не была достигнута из-за изменения законодательства. В результате у клиента набралось море долгов, которые ему приходилось ежемесячно выплачивать. В принципе, для бизнесмена все обошлось, но он считал себя ответственным перед клиентом и поэтому взял на себя всю сумму долга. Я спросил его, почему он так поступил, и он ответил мне: «Из благоговения перед Богом». Сумма, которую он на себя взял была большой, и ему было не просто ее платить, но он не мог пойти против своей совести, и бросить клиента на произвол судьбы. Спустя годы этот бизнесмен рассказал мне, что суд пересмотрел дело, и долг в результате был списан.

Благоговение перед Богом привело его к мудрому решению, которое, если оглянуться назад, закончилось очень хорошо. Ведь иначе его клиент остался один на один со своей горой долгов без ресурсов, не имея опыта для того, чтобы решить проблему быстро. Бизнесмен потерял бы свою репутацию перед многими, и как партнер был бы дискредитирован. А самым тяжелым стала бы жизнь с угрызениями совести. Слава Богу, что до этого не дошло. Таким образом, страх Господень или благоговение – важный компонент мудрости, потому что это заставляет человека преодолевать эгоизм и ложные побуждения, поворачиваясь к добру и нравственности. Благоговение перед Богом способствует правильному поведению, даже когда очевидные обстоятельства говорят против.

Мудрость стоит приобретать. Это стоящее вложение. Кто живет в мудрости Господней, стремится к миру, отличается доброжелательностью, милосердием и добрыми делами. Эти качества безусловно необходимы для успешного сосуществования нашего общества. Требуется мужество, чтобы полагаться не на собственную мудрость, а искать мудрости Божьей. Писатель Джеймс Нил Холлингворт изложил эту мысль так:

> *Мужество не означает отсутствие страха, оно осознает, что есть нечто более важное чем страх.*[24]

---

24 *Перевод цитаты из книги Covey: Der 8. Weg, приведенной в библиографии (Прим. переводчика)*

Мудрость Божья стоит того, чтобы набраться мужества, преодолеть страх, расщедриться и позволить мудрости чего-то стоить. Цена высока. Цена – это посвящение Богу и самоанализ. Только когда мы переосмысливаем свои амбиции, представления и желания и посвящаем себя Богу, тогда мы находим нужное. Кто хочет найти мудрость и истину, должен отбросить созданные им самим собственные мудрость и правду. Человеку нужно признаться перед Богом, что без Него он ничего не может делать (Ин.15:5). Тот, Кто отдал Себя за нас на Голгофском кресте, теперь ожидает, что мы отдадим Ему себя. Я могу лишь подтвердить, что оно того стоит.

? Вопросы для личного размышления

1. Сколько времени Ты тратишь на заточку лезвия? Или оно используется у Тебя постоянно?
2. В какой из четырех областей Твое лезвие уже давно затупилось или нуждается в заточке?
3. Что нужно изменить в Твоем образе жизни, чтобы Ты мог регулярно затачивать лезвие?

3 Деятельность Иисуса Навина

3.1 Жизнь в служении

Хотя Иисус Навин был больше, чем служитель Моисея, он носил этот титул (Исх. 24:13). И уже на раннем этапе стало очевидно, что Моисеем и народом на него было возложено гораздо больше ответственности (Часть 2, 1.1). В последней главе одноименной Книги Иисус Навин подводит итоги своей работы среди народа, оглядываясь назад (Исх. 24). Одно слово в ней встречается чаще всего и с его помощью можно описать основное послание главы: речь идет о «служении». Иисус Навин служил и народу Израильскому, но здесь он заботится более всего, чтобы завоевать народ для служения Господу. Сам Иисус Навин считал себя в первую очередь слугой Господа. Это было основой всей его жизни.

Немецкое слово *служить* происходит от слова *слуга*, то есть кто-то, находящийся *в услужении у другого*. Тот, кто сегодня служит, обладает мужеством начать снизу. Например, солдаты служат своей стране в армии. Тот, кто служит хочет быть полезным и приносить пользу делу, при этом делает это скромно.

На мой взгляд служение не в первую очередь является земным делом, ведь мы видим во Христе, что он стал Слугой Отца. На самом деле не только Он, но и Дух Святой является Слугой Христа и Отца. Этот факт делает служение или готовность служить божественным качеством. В церковных общинах бытуют разные мнения о качествах, которые делают личность «духовной». По моим наблюдениям духовными часто считают тех, чей словарный запас особенно благочестив, или время от времени они пророчествуют. К сожалению, первое вовсе не является показателем духовности. Я придерживаюсь того мнения, что духовность проявляется в готовности человека служить.

Христос не постыдился стать человеком и отложить Свою божественность, чтобы служить людям (Фил. 2:6-7). Главным побуждением Его готовности служить была любовь к Отцу и любовь к людям. Оба мотива были движущей силой и Иисуса Навина, потому что любовь вела его к тому, чтобы, несмотря на все невзгоды, продолжать служить. Для этого Иисусу Навину пришлось выучить азбуку Божью, которой его учил Моисей в течение многих лет их совместной жизни в служении. В служении происходит обмен основными жизненными понятиями: «мое» становится «твоим», «брать» превращается в «давать», а «господствовать» в «служить».

Такое отношение Иисус Навин не менял даже в неблагоприятных ситуациях своей жизни. Его верность Богу и Его наставлениям свидетельствует о характере, ведь обстоятельства, в которых он оказывался не всегда были удачными. Тем не менее, Иисус Навин не поддавался эмоциям, оставаясь непоколебимым.

В пояснении к истории Иосифа я уже указывал, что испытания являются частью жизни верующего. Тот, кто утверждает обратное, не может сослаться на Священное Писание, потому что он ясно свидетельствует о страданиях верующих. При всей ее богодухновенности Библия остается реалистичным документом, да и трудности являются просто частью любого земного существования. Это, кстати, касается и процесса старения человеческого тела и сопутствующих этому явлений, таких как слабость и болезни. Поэтому вопрос не в том, придут ли они, а в том – как с ними справиться.

Однажды кто-то привел мне в пример следующую метафору о том, как вести себя в трудностях: воздух – единственное препятствие, которое нужно преодолеть орлу, чтобы летать с большей скоростью и легкостью. Если отнять воздух, то орлу придется летать в вакууме. Но тогда бы он упал на землю и не смог бы летать, потому что именно сопротивление дает ему подъемную силу, если оно не слишком сильное. Поэтому та составляющая, которая оказывает сопротивление, также обеспечивает и способность летать.

В некотором смысле это похоже и на то сопротивление, которому подвергается человек. Без определенной меры сопротивления он бы зачах, а потому оно незаменимо. Сопротивление становится проблематичным, когда его трудно выдержать. Именно в таких ситуациях нужны служители, которые могут помочь в их преодолении. Как уже ранее говорилось, ведение и поддержка лидера нужны не в легкие времена, а в трудные. Американский эксперт в области психологии успеха к теме поражений говорит следующее:

> *Наипервейший шаг по отношению к проблемам – это готовность их принять.*[25]

Это описывает суть поведения служителя, каким был Иисус Навин. Его намерением было решать проблемы и быть готовым служить своему народу. Он научился ценить и любить свой народ, несмотря ни на что. Это, кстати, является важнейшим секретом лидерства (Часть 2, 2.4). Люди идут за тем, кто их любит. Руководители, которые думают только о себе и своем благе, рано или поздно лишатся власти, поэтому нужно всегда видеть себя в роли слуги.

К этому относится и знакомство с людьми, которым служат. С одной стороны, люди заметят и так, что ими не интересуются, и отреагируют соответствующим образом, а с другой, можно быть полезным кому-то только тогда, когда знаешь его. Физик Ричард Фейнман рассказывал, как его отец наставлял его в детстве. Дети его возраста в его окружении знали наизусть большое количество названий животных и растений, поэтому казались особенно умными. Однако отец Фейнмана говорил сыну:

> *Ты видишь птицу?.. ты можешь знать название птицы на всех языках мира, но выучив их ты так и не узнаешь об этой птице ничего. Ты узнаешь только, как люди в разных уголках земли называют эту птицу. Но понаблюдав за ней, хотя бы раз, можно узнать, чем она занимается – вот что важно...*[26]

---

25 Перевод цитаты из книги Tracy, S, приведенной в библиографии (Прим. переводчика)

26 Перевод цитаты из книги Birkenbihl V., приведенной в библиографии (Прим.переводчика)

Люди доверяют тогда, когда человек честно и искренне выполняет свое служение и проявляет неподдельный интерес к ним. Только тогда им можно служить по-настоящему. В противном случае, можно так и не распознать нужды людей, их переоценить или недооценить.

Поступать правильно

Тот, кто ревностно служит другим, неизбежно подвергает себя опасности неразумного обращения со своими ресурсами. Мне приходилось общаться со многими пасторами и служителями, уставшими от своего служения и вынужденными уйти на короткое или длительное время. В местах их служения люди испытывали разочарование, потому что эти драгоценные лидеры больше не проявляли своих дарований. Но ничего не помогало. Их энергии просто не хватало, или они уже больше не хотели, потому что уж слишком долго занимались бесплодной деятельностью. Они хотели, хоть какое-то время просто плыть по течению. И при этом они всегда хотели лишь доброго и хотели служить Богу и людям. Разве такой благой мотивации недостаточно, чтобы успех был гарантирован? К сожалению, мой ответ звучит: «Нет». Правильное отношение не является гарантией успешного служения. Существует множество ошибок, которые можно совершить, ряд из них я уже упоминал. И одна из распространенных заключается в том, что руководители перегибают с ответственностью в отношении благого дела, поскольку действуют неразумно.

Большинство руководителей хотя бы слышали о законе Парето или принципе 80/20. Закон Парето представляет собой взаимосвязь между усилиями и результатами или между вложением и прибылью. Он гласит, что 80 % эффективности может быть достигнуто 20 % задействованных факторов, или, другими словами, лишь небольшие 20 % усилий ответственны за 80 % результата. Это относится не только к вложениям и результативности в работе, этот принцип находит отражение во многих других социальных сферах жизни. Это означает, что около 80 % собственных замыслов бесполезны. Около 80 % ощущений — беспочвенны. Большинство тревожных мыслей никогда не сбываются. Около 80% собственных желаний – бессмысленны, поэтому абсолютно нет никакой необходимости бежать за каждым своим желанием или каждой своей идеей, а стоит еще раз спокойно поразмыслить о своих заботах.

> *Итак, смотрите, поступайте осторожно, не как глупые, но как мудрые. Дорожите временем, потому что в эти дни много зла. Не будьте легкомысленны, а лучше старайтесь понять, в чем заключена воля Господа.[27]*

Ефесянам 5:15-17

Такими словами обращается апостол Павел к церкви в Ефесе. Ефесянам стоило обратить пристальное внимание на то, как они живут, и поступать мудро и осмотрительно. В трудные времена, в которые они жили, нужно было пользоваться любой возможностью творить добро. Но делать это надо было не бездумно, а стараясь постигать Волю Господню. Таким образом, Павел призывал верующих быть контрастом на фоне других людей в отношении их образа жизни. Их окружали люди, жившие совершенно иначе, а такой образ жизни не мог быть свойственен верующим.

Слова Павла актуальны как в его времена, так и сейчас. Сегодня, как никогда, верующие отвлекаются на всевозможные вещи. Ни одно поколение ранее не имело такого выбора, как нынешнее. Время – драгоценный товар, и потратить его можно разным способом. Однако оно, как и раньше, не заменимо. Поэтому как и во времена Павла, время можно рассматривать как бесценный

---

27 Новый русский перевод. В Синодальном переводе этот текст звучит так: «Во всем поступайте осмотрительно, не как непутевые, а с умом. Дорожите временем, потому что дни – окаянные. Не будьте беспечны. Знайте Божью волю.» (Прим. переводчика)

ресурс, даже если собственный образ жизни не является мирским. Даже церковная община может неправильно использовать свое время, заменяя важные дела неважными. Так время тратится впустую, а должно бы с пользой.

Вновь и вновь мне встречаются люди, которые считают, что они всегда были верными. Но в чем они были верны? Можно быть верным, совершая ненужные и неважные дела. Однако плод возникает не от объема проделанной работы, а потому, что может появиться и созреть. Дерево узнается не по шелесту листьев, а по плодам, которое оно приносит. Один человек сказал мне, что он вложил много труда в этот проект. Я уточнил у него, как оцениваются его усилия – по занятости или по результату? Он не совсем понял, и пришлось переспросить. Я объяснил ему, что художник представляет не свое рабочее время, а свое произведение. Он может сколь угодно перечислять свои затраты, но видим только его результат. Быть верным, но не предоставить верность из дел – это для меня классический случай неправильной расстановки приоритетов.

Так что же является первостепенным? Я уже называл основные пункты в предыдущих главах, но хотел бы сейчас вернуться к тому, чего уже касался (Часть 2, 1.4). Речь идет о заботе о себе или формировании себя. У лидеров нередко нет времени на это, потому что им мешает работа. Однако роль руководителя требует не только энергии и силы, но и экспертного мнения и четких сильных сторон. Поэтому так важно в первую очередь уделять время личному совершенствованию и находить время для заботы о себе.

Под заботой о себе я понимаю: делать перерывы, заботиться о своем здоровье и питании, управлять своими финансами, избавляться от того, что ворует энергию, и поддерживать собственный образ. Эти сферы часто испытывают недостаток внимания со стороны духовных лидеров по отношению к себе самому. И тот, кто длительное время упускает их из виду, продолжая выполнять лишь свое служение, в скором времени или в далеком будущем придет к тому, что он будет недоволен собой и своей жизнью. Это отразится и на служении. Мне приходилось встречаться с пасторами, которые обращали внимание на все в своей церкви, были хорошими мужьями и отцами, но полностью теряли из виду самих себя. Практически не спали. Плохо питались. Прежняя одежда подходила им все меньше и меньше. К врачам не обращались или пропускали назначенное уже время. Доходы были невысоки, кредит на перерасход счета тоже уже исчерпан. И они с каждым днем становились все более недовольны собой.

Это пренебрежение собой, как и отсутствие самоанализа – ошибка, которую совершают не только духовные лидеры. Если человек не будет заботиться о себе, то и служение будет страдать. Тот, кто следит за собой и развивает свои способности, может, в конце концов, достичь большего, чем тот, кто бежит как белка в колесе. Дары, таланты, знания и интеллектуальность – это ресурсы, приводящие к результатам. Они важны для их достижения, даже если сами по себе они – ни результаты, и ни плоды.

Знать себя и понимать

Чтобы избегать упомянутых ошибок, очень важно обладать определенным знанием самого себя. Без самопознания трудно справиться с собственными страхами и чувствами, особенно когда нас отвергают или когда мы находимся в конфликте с кем-то. Однако, когда человек знает себя, он может лучше понимать свои мысли, чувства, управлять своим поведением и будет способен мудро с ними обходиться. Таким образом, здравое самопознание является отличительной чертой хорошего лидера.

Особенно же молодые лидеры так стремятся утвердиться, что практически не уделяют времени тому, чтобы лучше понять себя. Некоторые оглядываются на травматические события своих юных лет, а также опыт в служении, который был настолько болезненным, что они даже не хотят с ним разбираться. Выслушивать мнение других о себе может быть очень болезненно, если у человека совсем другое представление о себе.

Профессор Гарвардской школы бизнеса Билл Джордж сравнивает личность человека с луковицей. Если кто-то хочет себя действительно понять, должен снять луковую шелуху со своего истинного «Я». Следующее изображение основано на иллюстрации Б.Джорджа[28].

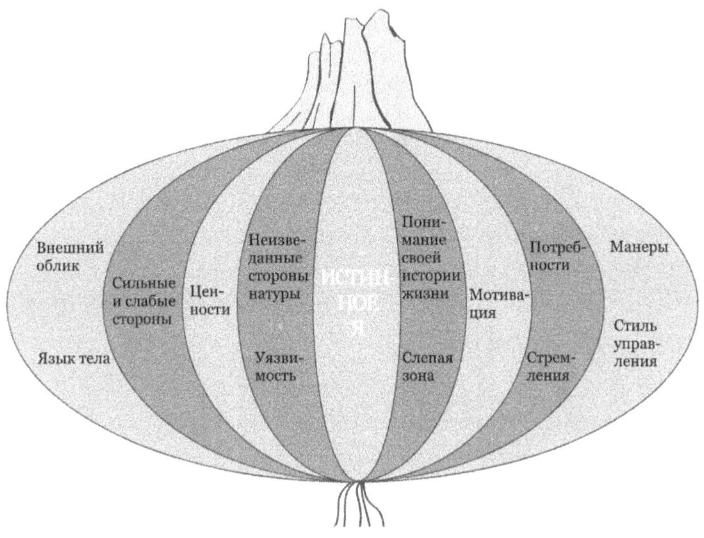

Внешние слои этой луковицы представляют собой то, как человек себя преподносит. Это относится к внешнему образу, включающему в себя жесты и мимику, манеру говорить и одеваться, и содержит общую манеру поведения. Эти слои обычно наиболее прочные у людей, или по крайней мере, создают такое впечатление, потому что они должны в том числе обеспечивать определенную защиту от возможных нападений.

За ними скрываются собственное понимание сильных и слабых сторон, а также желания и стремления. В моем семейном кругу много лет назад существовал своего роду культ бодибилдинга. Когда мы собирались за столом большим семейным кругом, то другой темы будто и не было. Когда я спрашивал, почему это так важно для молодых мужчин, то мне давали самые разнообразные ответы.

---

28 Книга George, Bill: True North приведена в библиографии (Прим. переводчика)

Один из них заключался в том, что они наконец-то получат признание своих товарищей, которого они всегда хотели. Таким образом, под внешним слоем скрывалась потребность в уважении.

Если чистить луковицу дальше, то можно добраться до собственных ценностей и того, что является настоящей движущей силой. Тот, кто это поймет, приблизиться к следующему шагу, который поможет понять историю собственной жизни. Она состоит из приобретенного опыта, который в свою очередь играет роль в развитии вышележащих слоев. На этом этапе человек сталкивается со слепыми пятнами и слабыми местами, которые есть у каждого.

Под всем этим скрывается сердцевина собственной сущности, собственной идентичности. Это то, что человек есть на самом деле, или кем себя считает. Есть разные способы снять все слои луковицы. Один из них – заглянуть в себя и серьезно спрашивать себя, не критикуя, а размышляя о себе без предубеждений. Другой, более болезненный способ – позволить размышлять другим. Но его ни в коем случае нельзя предоставлять всякому. Имеет смысл, опираться на внутренний круг (Часть 2, 1.2) или обратиться к психологу-супервизору.

Как я уже упоминал, власть тоже имеет побочные эффекты, которые могут быть очень пагубными (Часть 2, 1.3). Особенно тем, у кого нет здоровой самооценки, будет трудно отказаться от власти, если она у них была какое-то время. Это еще одна причина, быть знакомым с самим собой, знать себя.

Другие качества духовного лидерства

В начале второй части книги, основываясь на примере Иисуса Навина, я уже упоминал о некоторых важных качествах, которыми необходимо обладать духовному лидеру. Конечно, я не назвал всех качеств, которые хотел бы. Во время своих поездок, будь-то с целью преподавания или проповеди, я встречаюсь со многими священниками, пасторами, разнообразными лидерами и теми, кто хочет стать руководителем. Поэтому меня часто спрашивают о том, что делает лидера хорошим. Какими качествами должен обладать тот, кто руководит, чтобы оказывать долгосрочное влияние на свое окружение и вести деятельность, полную благословений?

Поэтому эту главу я хочу посвятить краткому описанию дальнейших качеств, которые я считаю значимыми. Конечно, мой список не является исчерпывающим. Для того, чтобы хорошо руководить необходимо множество качеств. Поэтому можно было бы еще много о чем написать, но это сделали до меня другие отличные христианские авторы. Вот почему я не буду здесь углубляться в библейскую этику лидерства, а обращусь к качествам, которые, на мой взгляд, упоминаются реже, но не менее важны.

Указывать на Бога

Как я уже объяснял, Иисус Навин ставил Бога в центр своих действий. Вновь и вновь он оставлял памятные камни для славы Божьей и, таким образом, направлял взгляд от себя к Тому, Кто, действительно, имел и имеет значение во веки веков. Поэтому и окружение Иисуса Навина должно было в его служении обращать внимание на Бога (Нав. 2:9-11), поскольку Его сила была видима для всех.

К сожалению, с регулярным постоянством я встречаю пасторов, рассказывающих о СВОИХ заслугах или людей, говорящих о СВОЕЙ церкви. Даже очень зрелые и опытные лидеры сильно меня разочаровывали такими высказываниями. В основном, они это заявляли в эмоциональном состоянии, тем самым показывая, что на самом деле лежит у них на сердце. Такие притязания на собственничество совершенно не здравы, и рано или поздно приведут к потерям или разрушениям. Паства не принадлежит лидеру. И тем более миссионерской организации или церковному союзу. Это Божье стадо, выкупленное Кровью Его собственного Сына (1 Петр. 5:1-10).

Бог хоть и почитает людей, но Славы Своей не отдаст никому. Библия точна в этом в своем послании, и поэтому девиз «Soli Deo Gloria[29]» прочно вошел в историю церкви (Рим. 11:36).

____

29 *«Слава только Богу!»*

Придерживаясь Писания и его ценностей, духовный лидер должен быть способен передавать их современными методами. Содержание Библии неподвластно времени, но это не относится к человеческим способам выражения мысли или идеи. К сожалению, слабой стороной многих церквей является то, что они считают, что их формы выражения остаются современными годами. Но это не так. Времена и культура меняются, люди тоже. Методы и способы выражения многих церквей становятся просто чуждыми современным людям. Формы поклонения, молитвы, стиль Богослужения, методы управления, которые могли быть уместны, например, в конце XX века, в настоящее время далеки и чужды многим людям, а следовательно, контрпродуктивны.

Сами по себе стили, формы, методы не являются духовными. Духовным является содержание, которое они передают. Поэтому хороший лидер не может вечно стоять на месте, он стремится к переменам, чтобы созидать Царство Божье, при этом идя в ногу со временем. То, что Господь всегда Тот же, не означает, что Он действует всегда одинаково. Поэтому фраза «мы всегда так делали...» должна быть чуждой хорошему лидеру.

Иметь высокий уровень социальной компетентности

Духовный лидер должен обладать высокими социальными навыками, чтобы быть способным вести за собой людей. Мне нравится говорить о комплексной социальной компетентности, потому что недостаточно просто хорошо общаться со своими сотрудниками. В духовном служении необходимо уметь справляться и с трудными личностями, успешно управлять семьей, и, прежде всего, уметь руководить собой. Последний навык, на мой взгляд, является самым важным.

Это включает в себя и управление собой, и правильное восприятие себя, а также способность быть чутким к тому, как воспринимает тебя окружение. Социально компетентный человек, как правило, должен чувствовать своего ближнего, воспринимать его и реагировать на его эмоциональный мир. Лидер, обладающий низкими социальными навыками, не сможет долго вести за собой людей. Тот, кто становится лидером, должен своевременно это понять сам, и это должны понимать церковные общины, которые хотели бы его назначить.

Быть тем, кто помогает другим достигать

Хороший руководитель должен быть в состоянии видеть Божьи возможности для своих ближних (Гал. 2:8-9) и познакомить их с ними. Это однако не означает, что он должен обладать богатым воображением. Если человек наделен какими-то дарами, и в его жизни есть определенное призвание, это означает, что он не призван к чему-то другому. Хороший лидер должен обладать способностью распознать дар и донести это, чтобы его служение приносило благословение, а не вред. Такие руководители фактически предотвращают возникновение принципа Питера (Часть 2, 1.3). Духовный лидер видит дары и способности других верующих, помогает им в их раскрытии и корректирует их курс, если они стремятся к тому, что не отмерено для них Христом.

❓ Вопросы для личного размышления

1. В каких областях Твоей жизни Тебе следует больше обратить внимание на себя?

2. Если Ты еще этого не сделал, то какие следует предпринять шаги, чтобы пренебрегаемые области обрели значимость?

3. Совершал ли Ты уже попытки взглянуть на свое истинное «я»?

4. Прими решение почистить по слоям свою «луковицу» с кем-то, чтобы добраться до своего истинного естества.

3.2 Меняя культуру

Нет ничего более постоянного, чем перемены. Общество подвержено непрерывным изменениям: социальные изменения, экономические и технологические. То, что вчера считалось само собой разумеющимся, сегодня может быть поставлено под сомнение, а завтра оказаться устаревшим и отжившим свое. Поэтому в экономике существует постоянная конкуренция, и тот, кто хочет удержаться со своим предприятием на плаву, знает, что должен быть в состоянии трансформировать свое предприятие в сжатые сроки. Особое внимание в этом уделяется «корпоративной культуре»[30], поскольку она охватывает существенные направления деятельности предприятия.

Однако изменение «корпоративной» культуры – это забота не только предприятий или компаний. Церковные общины или отдельные области церкви нуждаются в обновлении культуры время от времени. Семьи тоже не исключение. Под «обновлением» я имею в виду не создание чего-то совершенно нового, а все ту же библейскую и духовную культуру, на которую надо заново настроиться или даже вернуться.

Ecclesia semper reformanda est (Церковь должна всегда быть реформируема) – это девиз, приписываемый Августину, хотя это и не совсем точно. В любом случае, знаменитым его сделал швейцарский теолог Карл Барт.

Такой девиз кажется мне правильным, потому что мы, как Церковь, призваны вновь и вновь настраивать себя на Христа и соизмерять себя со Священным Писанием. Ведь исторически Церковь принимала такой образ и совершала такие действия, которые ей должны быть на самом-то деле чужды.

---

30 *Церковная культура является корпоративной в том смысле, что церковь является организмом, Телом Христа, собственно, слово корпоративный происходит от латинского слова corpus, которое так и переводится: «тело».*

То же самое происходит и сегодня с отдельными церковными общинами. Как церковные общины, мы находимся в центре общества, а значит и посреди жизни наших ближних, поэтому нам стоит постоянно спрашивать себя на какую часть социальных изменений нам надо реагировать (это важно в отношении форм и методов), а в какой части нужно оставаться постоянными и стабильными (это несомненно верно в отношении ценностей). Поэтому духовные руководители должны быть в состоянии разумно изменять устоявшуюся культуру.

Знать с кем иметь дело

Культурные различия существуют не только от страны к стране, но и от семьи к семье. То же можно сказать и об общинах или организациях. Поэтому, будучи лидером, вы не сможете избежать более пристального изучения и исследования самых разных культур. Также и Иисусу Навину пришлось столкнуться с этим, хотя он преследовал другую цель. Он должен был рано научиться исследовать свое окружение, чтобы иметь четкую и реальную картину (Чис. 13:8, 16). Аналогичным образом он поступал и позже, когда посылал разведчиков, чтобы они помогли ему в анализе ситуации (Нав. 2:1).

Лидеру необходимо вникать в людей и понимать тех, с кем они трудятся, их культуру. Давайте рассмотрим понятие или феномен культуры. Культура – это нечто масштабное. В принципе, всё, что человек создает или формирует, является культурой. Это так сказать отражение или двойник природы, которую он не создавал и на которую может лишь ограниченно влиять. Поэтому к объектам культуры или ее достояниям можно отнести идеологии, право, мораль, религии, искусство, науки и т. д. То, как люди ведут себя за столом, как одеваются, как строят дома зависит от их культуры. Культура имеет долгосрочное влияние на поведение, вкусы людей, переходя из поколения в поколение, даже если что-то давно уже утратило свой смысл. Одно и то же понятие или термин может быть наполнено различными культурными смыслами, а требования к таким объектам, как автомобили, могут нести совершенно разный культурный аспект.

Если мы возьмем понимание слова «честь», то в исламских странах отношение к чести сильно отличается от стран западных. Мужчина там готов умереть за честь своей семьи, и этот поступок будет сам по себе почетным. При этом то, что он считает честью, и за что готов умереть, в западных странах не является чем-то относящимся к чести, поэтому им трудно понять его готовность пожертвовать своей жизнью.

Люди склонны действовать в соответствии с их чувствами, а не рационально, поэтому не всегда легко понять собственное поведение. Для многих масштабом их парадигм и действий является их культурный фундамент. Что не часто является здравым. Поэтому апостол Павел, обращаясь к христианам в Риме, призвал их обновлять свое мышление, свой ум (Рим. 12:2). К сожалению, мне приходится часто сталкиваться с тем, что люди проповедуют свою культуру, а не Евангелие.

Когда под сомнение ставится культурная часть человека или группы, то люди ощущают это, как будто они сами ставятся под сомнение и к ним относятся неуважительно. Поэтому должно к каждой культуре и каждому народу проявлять уважение. Культура —это ценное достояние. Изначально, что-то, созданное людьми имело для них значение, по крайней мере, в течение какого-то времени. Только так оно могло устояться. Чтобы обновить это достояние, какой-то культурный аспект, необходим длительный процесс. Во время движения в этом процессе нужно развивать в других понимание того, что новая культура – это не угроза, а лишь новый и пока неизвестный путь.

Первые шаги и типичные реакции

В культуре церковной общины отражается то, как преобладающие ценности, нормы и представления влияют на решения и поведение. Этот культурный аспект тесно связан со структурой, коммуникацией и взаимодействием членов церковной общины.

Культура церковной общины развивается в течение многих лет, формируется как под влиянием поведения руководителей, так и активно участвующих в жизни общины, а также за счет писанных и неписанных правил и манеры общения друг с другом, распространенных в конкретной общине. Это влияет на повседневную жизнь в общине – осознанно или неосознанно.

Культура общины влияет как извне, так и внутри. С одной стороны, она определяет, как ощущается принадлежность к церковной общине, а с другой, как воспринимается церковная община посторонними людьми.

Если человек приходит извне и пытается поменять культуру общины, то происходит один из следующих сценариев:

Первый сценарий можно назвать «сценарий рака», потому что человек, приносящий перемены в устоявшуюся культуру общины, организации или группы рассматривается как болезнь. Он приносит «правильную», «лучшую» культуру и хочет, чтобы ее приняли и воплотили в жизнь. Существующая и несоответствующая культура общины должна быть исправлена, ее надо развернуть на 180

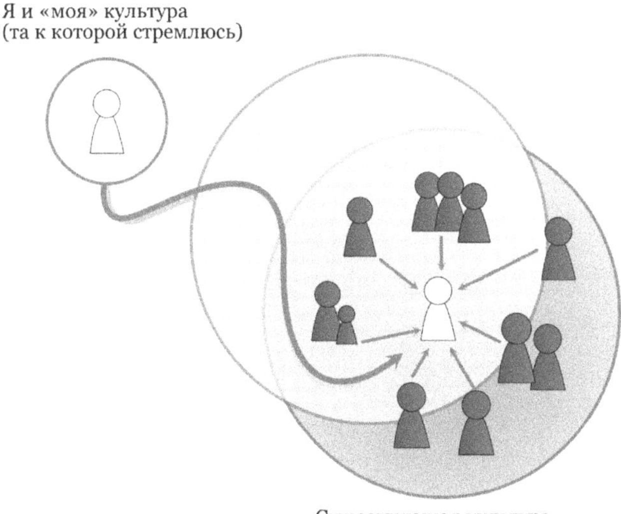

ИЗОБРАЖЕНИЕ 11. КУЛЬТУРЫ И Я. «Раковый сценарий»

градусов, и внедрить новую – лучшую и более правильную культуру общины.

Типичная реакция на это – сопротивление «аборигенов», отношение к новому как к «раковой опухоли», вытеснение и изоляция.

У нового лидера нет никакого будущего в общине, он вынужден ее покинуть, часто с ухудшением здоровья, в целом, и психологического состояния, в частности.

Следующий сценарий – это «сценарий марсианина». Та культура общины, которую человек хочет привнести или сформировать воспринимается не как лучшая или худшая, она – просто другая. При этом лидер осознает, что то, с чем он сталкивается на месте, является хорошо сложенным культурным «механизмом» в глазах людей. Поэтому он инвестирует время, чтобы изучить контекст, историю и развитие людей, ищет связующие элементы с той культурой общины, которую стремится создать.

Обычная реакция в таком случае: то, что принесено – несовместимо с существующим и кажется странным, а человек это продвигающий – «марсианин». Поскольку сначала отношение

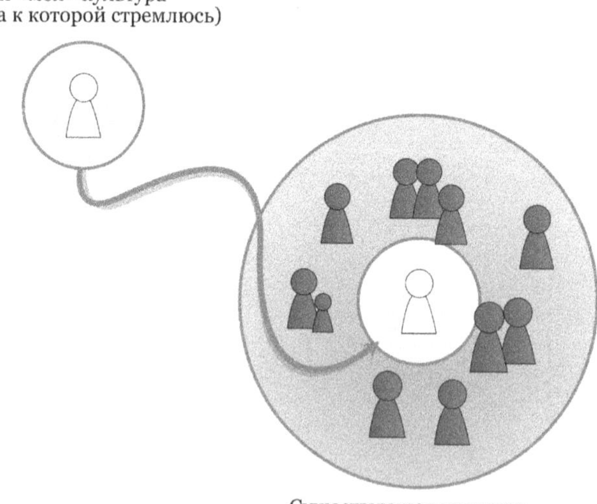

ИЗОБРАЖЕНИЕ 12. КУЛЬТУРЫ И Я. «Сценарий марсианина»

ко всему, как к инородному телу, то люди сначала выжидают, наблюдают, изучают и приглядываются, не будет ли результата. Когда они определяют, что за этим стоит Бог, и Он благословляет происходящее, то со временем обнаруживают все больше и больше сходств, и в конце концов, человек и то, что он несет, воспринимается как свое.

Для изменения «корпоративной» культуры в церковной общине необходим твердый, непоколебимый и массивный фундамент, ядро, вокруг которого и на котором строится все. Только такой фундамент может устоять. Этим основанием, этим фундаментом, этим связующим фактором может быть только Евангелие. Закрепить это понимание в людях, привлечь их именно к этому ориентиру иногда бывает очень трудно. Но как только это произойдет, путь к изменениям в культуре будет свободен.

Теперь изменения культуры общины готовы расширять свои пределы. Впоследствии вокруг одного образуется группа людей со схожими взглядами, которая постепенно приобретает интенсивность и раздвигает свои пределы. Таким образом, формирование в церковной общине общей культуры занимает длительное время, являясь процессом. Уже не кто-то один приносит новое в устоявшуюся культуру общины, навязывая ее другим, а культурные традиции, формы, стили начинают пересекаться.

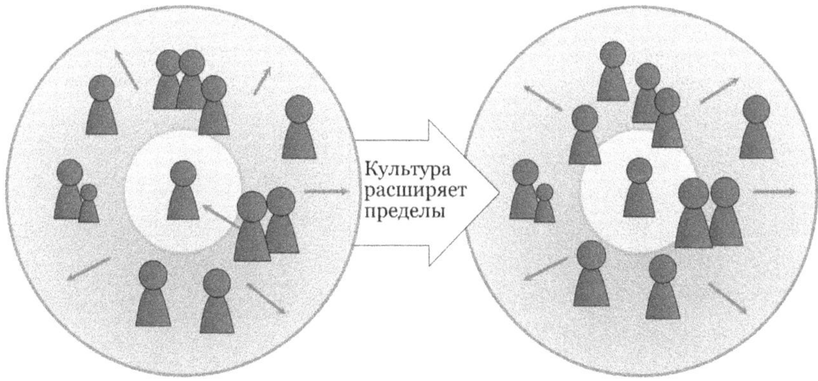

ИЗОБРАЖЕНИЕ 13. РАСШИРЕНИЕ ПРЕДЕЛОВ КУЛЬТУРЫ

Становление новой культуры общины, накладывающейся на старую, вызывает различные реакции. Некоторые покинут из-за этого церковную общину. Другие одобрят и поддержат новое. Будет немало и таких, которые займут выжидательную позицию, наблюдая с осторожностью. Необходимо считаться и с той группой, которая призывает к сопротивлению и оказывает его.

Атаки противящихся новой культуре людей не обязательно направлены непосредственно против лидера, но в этом смысле по «стене» единомышленников. Поэтому в процессе внедрения новой церковной культуры важно иметь единомышленников и верных соратников, которые защищают новую культуру общины и заботятся о ней соответствующим образом. Иначе тот, кто пытается сформировать новое, будет подвергаться всем нападкам в одиночку. Это может быть очень болезненно, потому что часть людей уже ушла, другие противятся и возмущаются. Однако если вокруг лидера стоит достаточно людей, то процесс может увенчаться успехом.

Людям необходим не только долгосрочный успех, хватит и краткосрочного, чтобы они заметили, что новое, действительно, стоит того, чтобы к нему стремиться, и это не просто какая-то новая модная тенденция. Если новая культура общины питает жизнь, а не просто охраняет новые ритуалы, то желание участвовать в ней будет расти.

Затем приходит время распространения церковной культуры за имеющиеся пределы, и становится возможным то, что раньше было трудно даже представить. Новая церковная культура становится базисной, и критикам приходится выбирать. Либо они принимают новое, либо покидают общину. Речь идет не о подстраивании, а о переосмыслении и поиске своего места и вкладе в общее дело. Если затем приходят новые люди, принося свою церковную культуру, это не может привести к серьезным изменениям, поскольку существующая культура общины ясна, убедительна и «стоит того, чтобы ее защищать». Тем не менее она не замирает в неизменной статичности, а готова к постоянным изменениям, обогащаясь приходом новых людей.

Затем изменения церковной культуры замечают и другие общины. Это похоже на луч света, который выходит за свои пределы, проникая в другие общины с их «корпоративной» культурой, оставляя неизгладимый след на них. Важно при этом разъяснить в какой форме это может происходить. Например, такой формой может стать создание союзов, объединений с целью общения и обмена. Новая культура общины не перенимается слепо, а служит моделью и стимулом для собственного развития.

Еще один вариант – формирование объединений на уровне материнской церкви. В этом случае церковная культура оказывает решающее влияние, но не перенимается полностью. Или новая церковная культура распространяется путем основания кампусов. Так новая культура передается с учетом местных особенностей.

Когда в 2009 году я стал пастором церкви Елим в Ганновере, то видел свою задачу в формировании новой церковной культуры, потому что, на мой взгляд, в общине были некоторые вещи, которые не были для нее полезны. Я открыто обсуждал такие темы как: понимание культуры общины и богословия, подробный разбор тем о страхе Божьем, благоговении, любви к ближнему, любви к Божьему Слову, супружестве и сексуальности. После ряда открытых бесед я сделал вывод, состоящий из трех пунктов:

1. Я обнаружил, что некоторые довольно легкомысленно относятся ко греху во многих сферах жизни

2. Семейные кланы оказывают огромное влияние на общину. Это не обязательно плохо, если влияние доброе, и кланы готовы подчиняться руководству. Однако если они проталкивают собственные интересы, то это может стать большой проблемой.

3. Некоторые из тех, кто совершал крупные пожертвования пытались оказывать влияние. Добрые жертвователи – это Божий дар для Церкви Христа, но они не должны думать, что могут купить себе положение и влияние.

Имея в руках эти выводы я должен был с любовью и терпением предпринять следующее: мне было необходимо открыто, с пастырской любовью, обратиться внимание на явно греховное поведение этих людей. В проповедях я старался сосредоточиться на искупительном труде Иисуса Христа. Затем я создал временную команду из 12 человек. Они принадлежали к «старой» церковной культуре, но их сердце было открыто для Евангелия, и они были, как я бы сказал, «духовно на высоте». Благодаря этому стартовало несколько новых разноплановых проектов, и на проектной основе были назначены руководители отделов, даже если до этого у них не было никакого лидерского опыта.

Преимуществом такого расклада было то, что ответственные руководители могли уйти с руководящей должности по окончании проекта без потери лица. Успешные же проекты могли быть преобразованы в постоянные области служения. Задача старейшин была скорректирована в направление «супервизии»[31], им было делегировано больше ответственности и полномочий для принятия решений. Повестка членских собраний была сведена до «самого необходимого», так как невозможно плодотворно обсуждать многие вещи с сотнями людей. Это уменьшило также влияние семейных кланов на принятие решений.

То, что все это не происходило без сопротивления и борьбы, должно быть понятно. Во время и из-за этих нововведений, к сожалению, часть людей покинула общину, о чем я в то время очень сожалел. Я бы предпочел сохранить их всех, объединить друг с другом, но это было невозможно, к сожалению. Но они не были потеряны для Царства Божьего, просто выбрали другие общины, в которых чувствовали себя хорошо.

---

31 «Итак, внимайте себе и всему стаду, в котором Дух Святой поставил вас блюстителями, пасти Церковь Господа и Бога, которую Он приобрел Себе Кровию Своею.» (Деяния 20:28). Греческое слово ἐπίσκοπος переводится как «попечитель, блюститель, надзиратель, смотритель, страж», что в современном смысле обозначает психолога-супервизора (Прим. переводчика)

В то время как все больше единомышленников собиралось вокруг руководства, одновременно формировалась сильная оппозиция. Их атаки перехватывала «стена» единомышленников, тем не менее для меня все это не было просто. Однако в результате община процветала.

Распространенные ошибки

Я начну с того, как большинство руководителей как церковных общин, так и предприятий, представляют себе подчас изменения «корпоративной культуры». Следующие шаги должны сделать такие изменения успешными:

1. Коммуникация. Если о новой культуре хорошо и убедительно информировать, то все поймут насколько это важно, и получат полное представление о том, как должно все выглядеть в новой культуре для церкви.

2. В результате достаточного информирования должны происходить поведенческие изменения. Поскольку все в курсе происходящего, то начинают и вести себя по-другому, в соответствии с желаемой культурой общины. Например, как только региональные руководители или руководители группы отделов, служений понимают, что доверять и давать большие полномочия своим лидерам команд – это хорошо, то доверие начинает возрастать. А поскольку все поняли, как важно обучать и взращивать новых, молодых сотрудников, то и руководители, и сотрудники с опытом, начинают обучать молодых. Как только все поймут, как важно принимать гостей по воскресеньям, все начнут практиковать воскресное гостеприимство.

3. Такое новое поведение становится настолько устоявшимся, что общая культура в церкви изменяется.

Тот, кто верит, что все именно так и работает, будет глубоко разочарован. Как бы убедительно и просто не звучал такой подход, он не приведет к желаемой цели.

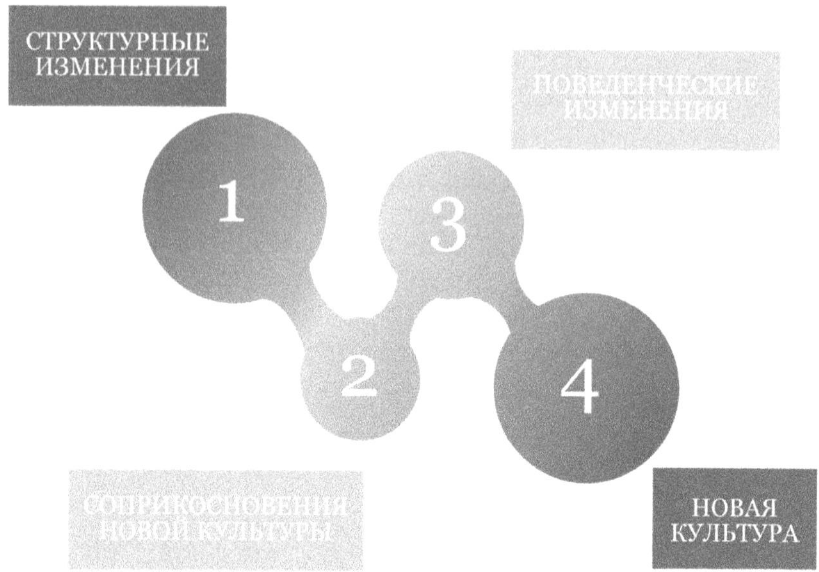

ИЗОБРАЖЕНИЕ 14. ИЗМЕНЕННАЯ КУЛЬТУРА

Точкой преткновения является то, что структура при этом не затронута никаким образом. Поэтому возникает вопрос, а как это внедрить в повседневную жизнь? Что именно меняется в способах действия, и как это отражается на командах и в коммуникации? Как работает процесс принятия решений? Как изменения церковной культуры реализуются на практике?

Говоря провокационно, изменения «корпоративной» культуры не смогут утвердиться ни в ближайшее время, ни в долгосрочной перспективе, потому что для того, чтобы люди начали мыслить по-новому, необходимо внести коррективы в структуру общины.

Чтобы все начало работать по-другому, сначала надо изменить структуру. Для этого необходимы новые, подходящие инструменты. Нужно менять правила и способы.

Психолог Армин Трост сказал об этом так[32]:

> *Ты не изменишь культуру тем, что меня-
> ешь культуру.*

Речь не о том, чтобы разработать на бумаге новую церковную культуру и представить ее церковной общине. Напротив, в процесс должны быть вовлечены ответственные лица, чтобы вместе начать структурные изменения. Это обеспечит поддержку «скелета» организма общины, на котором в конечном итоге и будет происходить воплощение. Без четких шагов и изменений на структурном уровне изменения в церковной культуре не произойдут.

К сожалению, мне далеко не единожды приходилось наблюдать, как руководители судорожно пытались создать перемены путем распространения информации о новой культуре общины. Большинство сдавались через некоторое время.

---

32 *Перевод цитаты из книги Trost, Armin: Neue Personalstrategien zwischen Stabilität und Agilität, , приведенной в библиографии (Прим. переводчика)*

3.3 Обучать и подготавливать последователей

В этой главе я расскажу об одной из слабых сторон или основных недостатках Иисуса Навина, о которых я уже упоминал. Моисей, как мы знаем, позаботился о том, чтобы оставить после себя достойного преемника для Израиля. Мы не знаем видел ли Моисей изначально Иисуса Навина своим преемником, но, на мой взгляд, это вполне вероятно. Моисей вкладывал в него, и они были долгое время сильной командой. Моисей многому научил Иисуса Навина, и Иисус Навин испытал, что означает сотрудничать с Богом, действовать вместе с Ним. В те времена видимое действие Бога было частью нормальной жизни для Израиля. Даже после смерти Моисея Божье влияние и действие не прекратилось среди Его народа, поскольку у народа был подходящий преемник Моисея в лице Иисуса Навина. Но со смертью Иисуса Навина начались изменения.

Народ Израиля служил Господу во времена, когда Иисус был жив. Они служили Ему и после смерти Иисуса, во времена старейшин, которые были свидетелями всего великого, что Господь совершил для народа Израиля. Слуга Господа Иисус, сын Навина, умер в возрасте ста десяти лет. Народ Израиля похоронил его в Фамнаф-Сараи, в его земле, в горной местности Ефрема, на севере от горы Гааш. После смерти всего этого поколения выросло новое поколение, которое не знало Господа и всего великого, что Он сделал для народа Израиля.

Судьи 2:7-10

Иисус Навин умер в возрасте 110 лет. Моисей был всего на 10 лет старше Иисуса Навина, когда умер. Поэтому Иисус Навин мог также оглянуться на свою долгую и благословенную жизнь. Израиль прибыл в Землю Обетованную, и Иисус Навин выполнил свое поручение, завершил свою миссию. Он оставался верен своему обещанию служить Богу (Нав. 24:15). Поэтому завершение его жизни выглядело спокойным и благословенным. После его смерти старейшины, видимо, продолжают руководить народом. Однако они не названы нам, и не выглядят на фоне Иисуса Навина значительно. По-видимому ни работа Бога среди народа не замечалась, ни о Его прошлых деяниях для народа много не говорилось, чтобы передать следующим поколениям. Бог Израиля был забыт. Причины были очевидными. Среди народа не было лидера такого уровня, как Иисус Навин. Последствиями стало обращение народа к другим богам (Суд. 2:11).

В главе 1.1. второй части этой книги я уже отмечал, что неудачный выбор в преемственности или вообще отсутствие поиска преемника – одна из самых больших ошибок руководителей. В главе 6.2 первой части я объяснял, почему важна преемственность. В книге Иисуса Навина мы сталкиваемся с тем, что время благословения полностью заканчивается со смертью лидера. Я считаю, что такого не должно происходить, и Иисус Навин совершил классическую ошибку руководителей, которая совершается во все времена человеческой истории. Некоторые руководители не могут найти потенциальных преемников, которых они могли бы поддерживать и подготовить. Такое может случиться в небольших церковных общинах. Однако в случае с Иисусом Навином все было иначе. Вокруг него было немало людей, и теоретически он был в состоянии разглядеть потенциал и взращивать его, но вероятно, это не сделал. Причины этого нам не известны.

Такую ошибку я совершил в моем пастырском служении, и когда я исчез, не оставив подходящего преемника, искать его пришлось другим. Я был настроен оптимистично, что у них все получится, но, к сожалению, я ошибся. Преемники были найдены, но ни один из них не оказался подходящим. Так плоды труда болезненно уменьшились. Это произвело на меня неизгладимое впечатление, и я решил очень серьезно относится к преемственности, и не совершать подобной ошибки.

Консультант по менеджменту и социолог Марен Леки называет такое поведение худшей ошибкой руководства. Компании теряют ведущих сотрудников, если руководство не заботится о развитии своего персонала. Одной из причин увольнения становится впечатление о невозможности продвинуться вперед. Талантливые люди считают, что они не на своем месте. И это впечатление может быть вполне обоснованным. Похожие наблюдения я сделал, посмотрев в ретроспективе на историю немецких свободных церквей. В прошлом те церкви, которые делали упор на дилетантов и не поддерживали одаренных к лидерству в получении богословского образования, должны были опытным путем понять, что потенциальные лидеры уходили в другие церкви и там несли благословенное служение. И это было печально не только потому, что отдельные общины теряли ценных сотрудников, но и потому, что вместе с ними был утрачен большой потенциал.

В настоящее время я наблюдаю тенденцию, что компании находят потенциальных лидеров в церквях и заманивают их к себе высокими зарплатами и привлекательными местами работы. А затем их профессиональные задачи требуют так много энергии и сил, что у них едва ли находится время для личной жизни, и еще меньше для их церкви. Они могли бы быть благословением для своей общины, но компании просто обнаружили их раньше. К сожалению, мне регулярно встречаются церковные лидеры, считающие, что в 35 они слишком молоды, чтобы быть членом церковного совета. Однако в мире предостаточно церковных общин, ведомых более молодыми людьми.

Думаю, что мне не нужно говорить какие последствия для церковного ландшафта влечет за собой такое поведения. Какие-то из служений уже не могут быть действенными без подходящего преемника, и их приходится закрывать. В руководстве церковных общин не хватает молодых лидеров, и многие общины, процветавшие раньше, постепенно стареют и идут к своему концу. Пропасть между молодыми и пожилыми разрастается, и поскольку потенциал среди молодых не увиден, то стареющая часть общины остается в конце концов в одиночестве. С годами омолодить такую общину становится все труднее. В консультировании церковных общин о такой ситуации говорят, как о «медленном умирании», потому что это просто так и есть.

Мне приходилось быть свидетелем закрытия таких общин. Это было не очень приятно для меня, а для всех, кого это лично касалось, все было очень болезненно, но помочь мог только новый старт. Однако и он возможен только при наличии подходящего персонала. К сожалению, я был свидетелем не только того, как закрываются церкви, но и как прекращают существовать другие виды труда христиан. Иногда мне казалось даже, что пожилой руководитель вообще не заинтересован в том, чтобы передать эстафету. Мало того, что поиски преемника никак не вели, его просто не хотели. Будучи уже пожилыми лидеры все еще имели «видение» и верили, что смогут продолжать как в былые золотые времена. Они забывали, что это не их работа, а дело Христово, Его шедевр. Они забывали, что у Христа было видение для них и их служения, но это не означает, что они должны оставаться в нем. В конце концов, их служение становилось все более бессмысленным, и либо их смещали, либо все просто распадалось. Это трагично, но будет происходить вновь и вновь, если не передавать вовремя эстафету.

Поэтому необходимо спрашивать себя, как лучше начать процесс передачи и оставления служения. Как лучше всего изменить свою роль с делателя на того, кто поддерживает? Мы хотим извлечь исторические уроки и дать возможность следующему за нами поколению идти их собственным путем. Они должны иметь возможность жить в их призвании и предназначении и оставить их собственный отпечаток, а не чужой. Время от времени мне говорят, что я оставил за собой большой след в своей церковной общине, который может оказаться слишком большим для моего преемника. Я отвечаю на это так: мой преемник не должен идти по моему следу или следовать по моим стопам, он должен оставить свои отпечатки. Ему не надо начинать там, где я начинал, просто продолжить там, где я закончил. Он должен идти не моим путем, а тем, который для него приготовил Бог.

Мне пришлось усвоить этот урок до того, как я стал президентом Союза пятидесятнических церквей Германии. До своего избрания я посетил нашего бывшего президента Ингольфа Элльселя, на которого я всегда равнялся. Я хотел получить от него совет относительно моего будущего служения, и он заверил меня, что поделится со мной всем тем, чему научился за время пребывания на посту президента Союза. Он сказал мне, что пост такого уровня всего лишь открывает двери. Он дает большие возможности, но его надо исполнять компетентно и экспертно, иначе хорошего служения на посту не получится. Он также сказал мне, что у меня есть возможность оставить след. Однако я не должен даже пытаться идти по чьим-то стопам, но прокладывать свой путь со Христом.

В последние годы я приложил немало усилий, чтобы утвердить в нашем церковном союзе девиз, который мне очень нравится: «Наши плечи должны быть опорой для следующих поколений». В следующих разделах я хочу пояснить, что именно я под этим подразумеваю, и как это можно реализовать на практике. Надо отметить, что в основном, содействие другим поколениям означает необходимость учитывать их особенности. В социологии поколения отличаются друг от друга. Так, мое поколение (X) явно отличается от поколения моих детей (Y) и моих внуков (Z). То, что было для меня и моего поколения естественным и желанным, далеко не желанно для моих детей, и совершенно непонятно для моих внуков. Если для моего поколения большой проблемой была безопасность, то для моих детей это уже не играет роли. Они больше озабочены тем, чтобы делать то, что наполняет их жизнь смыслом. У них больше потребности в самореализации, чем у моего поколения, и если мне приходится следить за современными технологиями, чтобы не потерять связь с ними, то они принимают технологические новшества как бы между прочим. В конце концов, в отличие от меня они росли уже с компьютерами и интернетом, тогда как в мою жизни компьютеры и интернет пришли с годами. В моем детстве я и мечтать не мог о сегодняшних технических возможностях.

Так и мечты у другого поколения могут отличаться от ваших собственных, поэтому у вас может не быть иного выбора, как отпустить их. Новое поколение будет многое делать иначе, и будет совершать ошибки. Задача сопровождающего – подхватить их, без того, чтобы быть для них «апостолом морализаторства», ведь в конце концов, они должны идти своим путем со Христом. Но давайте сначала обратимся к другой трудной задаче.

Распознать преемника

В бизнесе существуют различные базы данных и инструменты для поиска потенциальных талантов, однако доказано, что наиболее эффективным является поиск талантов на месте. Для этого требуется наблюдательность и знание, на что обращать внимание. Поскольку для любого преемника есть свои требования, то и замечать следует те дары и качества, которые необходимы для конкретного служения. Следующий список вопросов основан на исследованиях и публикациях социолога Марен Леки, упомянутой ранее:

1. Обязательные критерии: Какие качества являются незаменимыми?

2. Возможные критерии: Какие качества являются желательными, но не обязательными?

3. Предупреждающие критерии: Какие качества могут поставить под угрозу будущее служение;

4. Критерии исключения: Какие качества заблокируют будущий успех?

Чтобы объективно ответить на эти вопросы и найти подходящих кандидатов нужно дистанцироваться от самого себя (см. Часть 2, 1.1). Не все должны иметь те же предпочтения, мечты и методы работы, что и ищущий преемника. Тот факт, что преемник может оказаться совершенно иным типом человека, нужно просто принять и уважать. Часто руководители стремятся назначить того, кто им симпатичен или того, у кого похожее происхождение и жизненный путь. Это далеко не всегда целесообразно и не всегда является решающим. В этот момент я хотел бы напомнить тему «педагогического оптимизма» (Часть 2, 1.1). На этапе наблюдения следует воздерживаться от ложного оптимизма и оставаться честным. Специальные знания можно приобрести, можно стать экспертом, если есть к этому стремление. Но, к сожалению, многие потенциальные преемники терпят уже на этом этапе поражение. Мне самому приходилось с этим сталкиваться. Во время передачи моих служений один из выбранных мною кандидатов должен был принять от меня региональное служение. Я был уверен, что он – идеальный кандидат. Но когда ему пришлось повышать свою квалификацию для этого региона, то его первоначальный энтузиазм угас через несколько месяцев. Он отказался от работы, обосновав это тем, что повышение квалификации в этой сфере было невероятно утомительным.

Этот пример подводит нас к тому, что просто так не приобрести: к качествам характера. Настойчивость, эмпатия, выдержка, смирение – это те качества, которые не купить, и это не весь список. Они показывают, что очень важно обращать внимание на характер человека. То, что требуется немало времени, чтобы понять характер человека – общеизвестно. Люди могут очень долго хорошо «функционировать», поэтому им нужно попасть в разные ситуации, чтобы можно было понять, каковы они на самом деле. Потому и в бизнесе людей ищут не с помощью компьютера, а в повседневности рабочего дня. За все то время, пока я был пастором, я ошибся во многих, хотя, по-прежнему, считаю, что моей сильной стороной является умение хорошо разбираться в людях. Конечно иногда люди развиваются совершенно иначе, чем от них ожидаешь. И здесь стоит предостеречь от ложного оптимизма.

И последнее, но скорее более важное – само собой разумеется, что надо упомянуть о духовной составляющей в поиске преемника. Большое благословение, когда Сам Господь указывает на него. Мне удалось это пережить, и я благодарен за это, но нужно всегда помнить, что Бог не всегда так поступает, и что как от преемника, так и от меня, как руководителя, зависит в значительной мере успешность или поражение в преемственности.

Бывали многочисленные рабочие отношения, в которых обе стороны имели ясное подтверждение от Господа, что эти отношения ведомы и подтверждены Богом, но через некоторое время обе стороны получали подтверждение, что будет лучше, если отношения будут расторгнуты. Так происходило из-за того, что обе стороны извлекли из сложившегося. Складывалась такая ситуация, когда они могли сказать, что идти разными путями будет по Божьей Воле.

Собственное духовное представление о преемнике никогда не должно оставаться без подтверждения. Оно должно быть подтверждено со стороны других зрелых верующих, и человек должен соответствовать существенным критериям. Такой инструментарий убирает препятствия в успешном поиске преемника.

Содействовать преемнику

Как уже стало понятно, найти преемника – это не конец истории. Теперь я хотел бы вкратце изложить основные моменты, важные для содействия и поддержки найденного преемника.

1. Подготовка и поддержка

Во-первых, важно обеспечить правильную подготовку и хорошую поддержку. Потенциальные молодые кадры должны быть подготовлены соответствующим образом. Они не должны совершать те ошибки, которые уже совершал их наставник. Им не нужно ходить окольными путями, которыми приходится ходить из-за недостатка опыта, если только они не требуются для их развития. В принципе, все личности развиваются быстрее и эффективнее, если на их стороне есть «мастер» (Часть 2, 1.2).

Когда преемники начинают сами действовать, они должны продолжать труд, но не служение своего предшественника. Это напряжение необходимо вынести, в конце концов, у них свое служение, и оно останется Божьим шедевром, а не произведением предшественника. Желательно, чтобы они превосходили своих предшественников. И это нужно прожить и обрадоваться этому, в лучшем случае и отпраздновать. Это может быть болезненно для старшего руководителя, но он может утешиться тем, что он внес свой вклад в Божий шедевр.

2. Сердечные отношения

Мне очень нравится, когда лидеры позволяют своим преемникам сближаться с ними (Часть 2, 1.2). Совершенно бессмысленно делиться своей внутренней жизнью, внутренними сражениями и сомнениями с множеством людей. Такое можно открывать только близкому кругу доверенных лиц. Но было бы хорошо, если бы преемник получил хотя бы представление о внутренней жизни, даже если он не обязательно станет частью круга самых близких. Преемникам мало пользы от фасада. Им нужны образцы искреннего и честного поведения. Именно так они научатся справляться с трудными процессами и невзгодами, а также преодолевать их.

3. Вера и ободрение

Я уже широко освещал важность ободрения. Однако не хочу оставить его без внимания в этом небольшом пособии, потому что оно является существенной частью процесса сопровождения и содействия. На какое-то короткое время человек берет на себя роль отца или матери для последователя. Однако, как я уже сказал, это лишь на короткое время, позднее человек становится больше похож на дедушку или бабушку. На ранней стадии человеку нужна вера в него и поощрение в том, чтобы он верил в себя. В это время для него прокладывается путь подобно тому, как родитель прокладывает его для своих детей. При этом нужны не надсмотрщики, а духовные «отцы» (1 Кор. 4:15). Как только преемник вступает официально в служение, наставник погружается в роль бабушки и дедушки. А они не занимаются больше воспитанием. Их задача состоит в том, чтобы любить и быть рядом, помогая советом и делом, но об этом в следующей главе.

4. Свобода и ясность

Духовные лидеры нуждаются в определенной этике как в служении, так и в личной жизни. Это должно быть не смирительной рубашкой, сковывающей людей ради соблюдения правил, а свободой. Свобода означает не отсутствие правил, а соблюдение правил осмысленных. Не до конца известно, кто является настоящим автором этой цитаты, но я нахожу ее подходящей:

> *Держись правил,*
> *а правила будут держать тебя.*
>
> *Возможно Августин.*

Это очень лаконичное выражение следующей истины: конструктивная и сбалансированная жизнь нуждается в порядке и правилах. Как без упорядоченного образа жизни люди могут стать несвободными, так и с чрезмерными правилами. Задача наставников – вести своих последователей к свободе, давая им одновременно четкие правила. Они должны понимать, что двойная жизнь или терпимое отношение к двойным стандартам в конечном итоге приведет к гибели. Руководители, не обладающие честностью, не смогут долго оставаться на своем посту.

5. Обратная связь

Чтобы процесс сопровождения и содействия был плодотворным, необходима здравая культура обратной связи. Она должна быть искренней и конструктивной. Как правило, трудно справляться с одними лишь недостатками, поэтому плохая обратная связь может обескураживать, угнетать и парализовывать. По понятным причинам неприятно говорить о недостатках. Да и в принципе, следует укреплять сильные стороны. Это означает обращать внимание на победы, достижения, успех, и праздновать их вместе. Предполагается, что швабы живут согласно девизу: «Не поругали, считай, что похвалили!» Однако я замечаю, что это повсеместно распространено. Если чаще обращать внимание на сильные стороны и поощрять успешные достижения, то намного легче устранять слабые стороны, потому что когда человека поддерживают, он вырабатывает определенную стойкость благодаря своим успехам. Я тоже прошу мою жену, всегда указывать мне только на один мой недостаток, чтобы я мог выдержать упрек и работать с этим слепым пятном. Если бы она выложила мне все сразу, я бы впал в депрессию, наверное. Поэтому указывать на недостатки надо с правильной дозировкой.

Если обнаруживается, что человек добился лишь небольшого количества хороших результатов и при этом необходимо давать лишь конструктивную обратную связь, стоит задаться вопросом, а достаточно ли внимания было уделено критериям отбора, и не лучше ли предложить преемнику другую сферу деятельности. В принципе, в отношении обратной связи действует следующее эмпирическое правило: похвала дается публично, порицание – наедине. Поступая так, вы также оказываете услугу и самому себе, потому что другие это видят и смогут научиться у вас.

При любой обратной связи всегда следует обращать внимание на собственные мотивы. Они должны быть чистыми и доброжелательными. Мне не нужно объяснять, что зависть и ревность в таком процессе – плохие помощники.

Кроме того обратная связь раскрывает кое-что о самом себе. Если человек очень редко способен сказать что-то доброе другим, то следует задать себе болезненный вопрос, все ли в порядке с его собственной самооценкой.

6. Отпечаток вместо изменения

Веру в то, что людей можно изменить, наверное, стоит отнести к заблуждением. Люди, конечно, могут измениться, но этого они должны сами захотеть и стремиться к изменениям. Даже профессия или духовное служение могут лишь частично повлиять на личность. В основном, людей меняют навсегда сильные потрясения. Поэтому будучи сопровождающим не стоит даже пытаться изменить последователя. Гораздо лучше его оснастить и сформировать. А что он с этим будет делать, предоставить решать ему самому. О событиях, необходимых для изменения, Господь позаботится Сам. То, что не удается сделать людям, Ему удается. Люди преображаются после встречи с Ним. Если человек не убежден в этом, то ему не стоит даже помышлять, что он сам может изменить человека, ведь как может преуспеть человек в том, в чем не может преуспеть Сам Бог. Поэтому такие встречи человека с Богом следует поощрять, но об этом позже.

7. Хорошо отзываться о них

Слово «сплетни» можно связать со словом «бремя». Когда мы говорим о других людях негативно, то мы буквально обремением их. Наши слова отягощают, очерняют образ другого человека. С научной точки зрения сплетням, как явлению, подвержены не только светские круги. Христиане тоже сплетничают, сами того не зная, потому что, в принципе, сплетничать по сути означает — двое дают оценку третьей персоне. Я должен отметить, что это определение не библейское, а взятое из справочника Oxford Handbook of Gossip and Reputation. Оценка, которая дается двумя людьми, необязательно должна быть всегда положительной, однако она может неподобающе обесценивать других.

Тот, кто сплетничает, также оказывает медвежью услугу и себе, даже если это даст ему возможность почувствовать себя хорошо на короткое время, ведь так, вероятно, он оценивает себя выше того третьего человека. Хуже то, что сплетничая, человек сосредотачивается на недостатках и ошибках. Тем самым превращая для себя мир в место, полное ошибок и недостатков. Кто плохо отзывается о людях, ищет в них не доброе, а плохое. Жизненный фокус остается на негативном, и это оставляет неизгладимый след на собственной жизни. Если начать искать доброе в других, то оно найдется, и это приведет к хорошему и в жизни. Старая пословица гласит:

> *Что ты видишь в другом, тем становишься сам.*
> *Если видишь свет – светом,*
> *Видишь грязь – грязью.*

8. Поддерживать, а не сталкивать

На протяжении всей книги я не устаю повторять, что человек, начинающий что-то новое, должен рассчитывать на поражения и неудачи. Когда кто-то является новичком в какой-либо области, то ему нужно многому учиться, и поэтому его деятельность не всегда будет отличаться высоким качеством. На этом этапе необходим сопровождающий человек, чтобы помочь преемнику избежать тех ошибок, которых можно избежать. И если тот оступиться, то именно сопровождающий должен протянуть ему руку помощи и подхватить его.

Иногда преемникам может понадобиться защита от нападающих и плечо, на которое они могли бы опереться. Позднее они должны научиться отражать нападения, направленные против них, самостоятельно, но на раннем этапе их служения им лучше находиться под защитой своего наставника, сопровождающего их. Это то, что я понимаю под «поддержкой», «опорой». Я сам поддерживал своих преемников таким образом, немедленно пресекая необоснованную критику в их адрес и не допуская ее.

Когда Бог что-то доверяет человеку, то, как правило, Он желает, чтобы мы это возделывали, подобно Эдемскому саду (Быт. 2:15), где Он поручил человеку возделывать и беречь творение.

9. Сосредоточить на Божьем присутствии

Я уже отмечал, что Божье присутствие имеет огромное значение, когда речь идет о духовном служении (Часть 2, 2.2). Преемники и в этом нуждаются в поддержке, потому что могут и здесь допустить ошибки. Когда пасторы приступают к своему служению, им приходится, как правило, полностью изменить свою повседневную жизнь и управлять ею иначе. Из-за большого количества работы многим сначала трудно найти время для молитвы и вообще для Бога. Стабильное наставничество помогает не упустить молитву из виду. Подобно тому, как наставник помогает не отводить взгляда от главного, задачей уходящего лидера является побуждать преемника к поиску общения и близости с Богом. Он должен вновь и вновь напоминать ему, что можно накопить много знаний, использовать хорошие инструменты и методы, но они никогда не заменят сверхъестественное действие Бога, являясь лишь поддержкой. Поэтому преемники должны всегда сосредотачиваться на Божьем присутствии, не упуская это из виду.

3.4 Отпустить

После того, как преемник хорошо подготовлен, наступает самая сложная фаза в процессе сопровождения и содействия: отпустить. На мой взгляд, именно на этом этапе совершается большинство ошибок. Мы должны учитывать, что на этой Земле мы не имеем права ни за что держаться. Всё доверено нам лишь на время, и как говорит пословица, что в землю ушло, назад не вернется. Поэтому человек должен всю жизнь практиковаться отпускать, и однажды ему придется отпустить и свою жизнь.

Я хотел бы назвать пару пунктов, которые это проиллюстрируют. Например, каждый человек в какой-то момент отпускает свое детство. Детство является этапом, накладывающим важный отпечаток на всю жизнь. В это время человек сильно меняется не только физически, но и когнитивно. Люди, которые сопровождают нас в это время, меняются сами, и кто-то из них покидает круг наших друзей, тогда как новые друзья приходят.

За детством приходит юность, принося свои перемены и вызовы в жизнь подростка. Человек смотрит на мир совершенно новы-

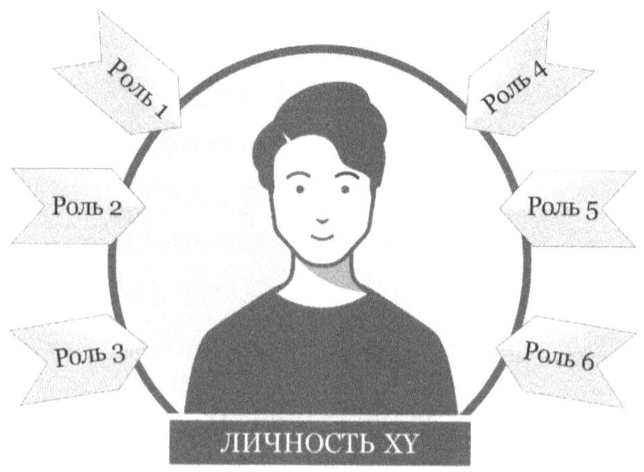

ИЗОБРАЖЕНИЕ 15. Роли

ми глазами, и полон энергии. Но приходит тот день, когда и этот этап завершается в жизни, и нужно расставаться с прошлым.

С наступлением взрослой жизни человек заметно берет на себя больше ответственности за собственную жизнь и оставляет родительскую семью, чтобы создать свою собственную. Если человек не отрежет пуповину от родительского дома, то ему трудно будет построить свою семейную жизнь. Иногда случается так, что именно родительская семья не может отпустить и предпринимает многое, чтобы все оставалось как раньше. Но рано или поздно это приведет лишь к усилению напряжения и излишне обострит отношения. В конце концов, напрасно держаться за старое. Поэтому я рекомендую перерезать и эту «пуповину зависимости».

В один прекрасный день ребенку предстоит самому играть роль родителя и отпустить уже собственных детей идти их собственной дорогой. Если человек отказывается оставить прежнюю роль воспитателя и взять на себя новую роль советчика или друга, то отношения с собственными детьми могут стать напряженными и они могут разрушиться из-за недостаточного принятия своей новой роли.

Это лишь основные смены ролей, которые являются естественной частью жизненного пути. В жизни человек сталкивается с гораздо большим спектром ролей, и это относится в том числе и к его профессиональной карьере. К тому же Господь дает роли и задания на определенный отрезок времени, и их надо уметь оставлять вовремя. Это не всегда легко, но необходимо, чтобы человек мог взяться за новые поручения и не блокировать сферы деятельности (Часть 1, 6.2).

Тот, кто продолжает судорожно держаться за свою роль, рискует в какой-то момент потерять все. По моим наблюдениям, чем дольше держаться за то, что лучше отпустить, тем глубже будет падение. В поговорке о том, что человек – существо привычек, есть важное зерно истины: люди привыкают ко многому, в том числе и к тому, к чему привыкать не следует. Те, кто может оглянуться на многочисленные успехи, привыкают со временем к ним, и с трудом понимают, что работа может и без них успешно продолжаться. Поэтому надо всегда быть внимательным, чтобы не остаться надолго в какой-то роли и не прилепиться к ней (Часть 1, 2.2).

Мне тоже пришлось в моей жизни расставаться с созданным мною. Мне было действительно нелегко, но я решил выбрать этот путь, чтобы всегда оставаться в воле Христа и получать то новое, что Он приготовил для меня. Для этого я разработал для себя несколько шагов, которые являются важными в процессе расставания.

1. Готовиться ментально

В своей книге «Как упорядочить свой внутренний мир» Гордон Макдональд рассказывает одну историю, которую он, в свою очередь, где-то прочитал. Однако при написании своей книги он так и не смог найти источник. Речь идет об одном мужчине из Англии. В возрасте 45 лет он был назначен директором школы. Перед тем как вступить в должность он написал письмо своему будущему «я», которое должен был прочесть в день своего 65-летия. Когда прошли положенные 20 лет, и ему исполнилось 65, он открыл письмо и прочитал: «Сегодня тебе исполнилось 65 лет, и пришло время передать свой пост кому-то более молодому. Ты, вероятно скажешь себе, что незаменим, и что школа без тебя не обойдется. Но не стоит делать себя больше, чем ты есть, и верить в эту ложь»[33]. И действительно несмотря на свой уже преклонный возраст этот человек считал, что он незаменим для учебного заведения. Несмотря на свою убежденность, он последовал своему собственному совету, данному двадцать лет назад. Он ушел в отставку и передал управление школой более молодым.

Мне так понравилась эта история, что я поместил ее в свои записи при подготовке к проповедям. И каждый раз, когда я готовлюсь к новой проповеди, и пролистываю их, я читаю эту историю. Когда я ее прочитал лет двадцать тому назад, то был уверен, что

---

33 Книга Гордона Макдональда. «Как упорядочить свой внутренний мир» издана на русском языке. См. библиографию (Прим. переводчика)

никогда не буду себя чувствовать так, как этот директор школы перед выходом на пенсию. Но теперь я уже не так в этом уверен и ловлю себя на том, что у меня бывают похожие мысли. Именно поэтому я решил вовремя отпускать и вовремя готовить своих преемников.

Такая ментальная подготовка должна начинаться как можно раньше, а не тогда, когда уже пора расставаться. Она должна стать осознанной и неотъемлемой частью служения лидера, чтобы заблаговременно наметить курс.

2. Подготовить преемника

Я уже детально описывал то, как проводить подготовку преемника. Этот процесс надо начинать не незадолго до выхода на пенсию, а за несколько лет до нее. Это, кстати, касается всех поручений, которые надо передавать другому. Если человек знает, что в обозримом будущем порученное ему дело подойдет к концу, то ему следует заблаговременно заняться поиском преемника. По моему опыту лучшее время – это зенит вашего служения. Как только человек достиг вершины, то он не должен дальше держаться за это поручение, пока оно не пойдет на спад, но во врямя оглядеться в поиске того, что другое хочет Господь доверить ему. В конце концов, Церковь – не наша церковь, она принадлежит Христу, и Он позаботится о том, чтобы она продолжала дальше расти и созидаться.

В процессе консультирования церковной общины, переживающей кризис, мне однажды пришлось попросить руководителя оставить пост. Он обвинил меня в том, что я отнимаю у него общину, что я к тому же лишаю его служения, к которому он определен Богом. Такие и подобные заявления мне приходилось выслушивать неоднократно. Особенно те руководители, которые основывали общину или были на своем посту долгие годы, чаще всего имеют притязания на собственность к своей общине или к своему посту. Когда у человека есть подобного рода притязания, то ему следует серьезно задуматься о своем отношении, и пока не начинать поиски преемника, иначе он усложнит преемственность.

В процессе подготовки следует указать преемнику также на предстоящие вызовы и проблемы. Одна из проблем, с которой сталкивается каждый преемник – это смена персонала. Люди, которые шли вместе с предыдущим руководителем, не обязательно будут идти вместе с тем, кто приходит на этот пост. Это нормальное развитие, и ожидает каждого, кто перенимает чей-то пост, должность или служение. С теми, для кого это очевидно или у кого уже подошло время в силу их возраста, действующий руководитель должен подготовить эту смену, чтобы его преемнику было легче. Если преемник хочет получить консультацию или совет, то можно проанализировать шаг за шагом, служение за служением и показать то, что еще нуждается в строительстве.

3. Проходить часть пути вместе

Моисей и Иисус Навин оставались вместе долгие годы, и у Иисуса Навина была возможность учиться у Моисея все это время. Есть и другие примеры из Писания, описывающие, как лидер сопровождает своего преемника определенный отрезок времени. Например, еще один, не менее известный пример – сотрудничество Илии и Елисея из книги Царств.

Шаги, которые вы хотите предпринять вместе, должны быть согласованы и уточнены, и им не обязательно длиться годами. Они могут занять всего несколько месяцев. Не каждый преемник вообще желает такого совместного отрезка жизненного пути. Некоторые хотят начинать в одиночку, это желание следует уважать, потому что в зависимости от обстоятельств это может быть тот путь, на котором меньше потери энергии из-за трений. Поэтому лидер должен сопровождать преемника только в том случае, если он или она того желает.

Когда служение отдано, то следует придерживаться договоренностей. Мне приходилось быть свидетелем таких ситуаций, когда лидер корректировал совместные договоренности. Для некоторых передача эстафеты была «слишком ранней», или у них оставались сомнения. Такое поведение подрывало доверие, а иногда приводило к тому, что преемник просто уходил. Подобная ситуация неприятна для всех участников, но становится необходимой, потому что доверие слишком подорвано, да и репутация лидера значительно пострадала.

4. Готовить себя к следующему поручению

Те, кого Господь не призывает к Себе, как Моисея или Илию, могут готовить себя к новому заданию. У Христа есть новое поручение для любого, кто передает эстафету, ибо Царство Божье нуждается в делателях. Жатва, по-прежнему, велика, а работников всегда не хватает (Лк. 10:2). Христос не хотел бы, чтобы кто-то оставался праздным.

Исходя из своего многолетнего опыта я могу сказать, что отпустить будет легче, когда отпускающий готов к новому заданию. Поэтому так важно своевременно готовить себя. Если новое поручение не находится в поле зрения или планирования, то человек рискует впасть в фазу дезориентации и бессмысленности, после того как прежнее поле деятельности оставлено. Я это наблюдаю нередко у пожилых коллег, уходящих на пенсию, но встречаются и более молодые, настроенные подобным же образом. Некоторые из них действительно попадают в душевную яму. Однако, когда впереди уже видна новая задача, которая, возможно, даже с нетерпением, ожидается, то отдать что-то становится несравнимо легче. Для некоторых такое расставание фактически облегчение, потому что впереди что-то новое, неизведанное и восхитительное. И можно начинать все сначала и, используя накопленный богатый опыт, делать многое иначе, чем в предыдущем задании.

На этом этапе подготовки важно иметь хороших советчиков и помощников. Лучше всего заранее поговорить с сотрудниками, коллегами и членами семьи о том, каким может быть следующее поручение и что лучше всего отложить:

Следующие вопросы помогут вам сориентироваться:

1. Что по твоему мнению я должен обязательно продолжать делать дальше?
2. Чем лучше всего, по твоему мнению, перестать заниматься?
3. Что лучше всего, по твоему мнению, начать делать?

Как я уже упоминал в начале, в Царстве Божьем и Церкви Иисуса Христа всегда есть потребность в делателях. Не бывает не одаренных людей, и Бог не отменяет Своих даров. И в пожилом возрасте человек может быть полезным, например, для поместной общины, для социальных учреждений, для того места, где он живет. Не всегда для этого нужно быть руководителем, можно быть просто тем, кто поддерживает.

5. Оставить

Важно заблаговременно проинформировать свое рабочее окружение о шаге в сторону передачи эстафеты. Сотрудники и со-руководители должны быть в состоянии поддержать изменения. Сроки информирования зависят от сферы ответственности, которую предстоит передать. Передача руководства церковью или церковного совета потребует более длительной и качественной подготовки, нежели, например, руководства небольшого служения внутри церковной общины.

Прощание должно быть уместным и основываться на обязанностях руководителя. Если речь об одном из служений в общине, то оно может состояться в кругу команды. Если же человек руководил церковной общиной, то прощание должно быть перед ней. При любом прощании следует ясно дать понять, что уходящий лидер больше не претендует на свой прежний пост, свою прежнюю должность. При передаче эстафеты человек «исчезает», и не входит больше в состав совета или чего-то подобного.

Еще при жизни евангелиста Райнхарда Боннке, мне приходилось с ним время от времени встречаться. Когда он назначил своего преемника в свою международную миссию CfaN («Христос для всех народов»), я спросил у него, как у него дела с его преемником. Он ответил: «У меня с ним все очень хорошо, однако со мной получается нехорошо, потому что я очень плохой второй». После своего ухода на пенсию Боннке попрощался со всеми руководящими постами во всех органах. Прощание должно быть праздником не только для уходящего лидера, но и для преемника, чтобы дать ему вотум доверия. Но все же не так важно как попрощаться, главное, не вмешиваться даже время от времени, когда это кажется очень необходимым. Это приводит лишь к конфликтам, к сожалению, а в них нет никакой необходимости.

6. Идти своей новой дорогой

В процессе расставания неизбежно возникает масса вопросов: А если не пойдет? Должен ли я вмешаться? А если преемник затмит меня полностью своими успехами?

Несмотря на все заботы и тревоги вам все равно надо отпустить ситуацию и заняться своим новым делом. В некоторых случаях я рекомендую прежним руководителям вообще покинуть свою прежнюю рабочую среду, каким бы ни было их поле деятельности. Хотя такого рода совет я не могу дать всем подряд, хочу все же подчеркнуть, что в большинстве случаев прежний руководитель создает для нового проблемы. Поэтому каждый должен серьезно отнестись к тому в процессе расставания, чтобы «идти до конца». Как я уже не раз говорил, в Божьей церкви все принадлежит не нам, а Ему.

Важно продолжать дальше выполнять порученное Христом. Поручение остается, даже когда роли и задачи меняются. Призвание и предназначение Христовы не зависят от прежнего поля деятельности и служения. Кроме того освобождает от необходимости нести нагрузку прежнего служения, а просто советовать, но я рекомендую делать это лишь тогда, когда об этом просят.

В 1968 году Кент Кейт опубликовал стихотворение под название «Парадоксальные заповеди». Его по ошибке приписывают известнейшей монахине Матери Терезе, которая разместила его на стене в детском доме в Калькутте. Лично мне это стихотворение помогает в процессе расставания, ведь тогда, когда отпускаешь, будут моменты, которые говорят против расставания. Тем не менее отпустите.

Следующая версия — это перевод версии из детского дома в Калькутте, которым бы я хотел завершить мою книгу:

Люди безрассудны, иррациональны и эгоистичны.

Люби их, несмотря ни на что.
Когда творишь доброе, тебя могут обвинить, что скрываешь корыстные мотивы.

Твори доброе, несмотря ни на что.
Когда ты становишься успешным, приобретаешь фальшивых друзей и настоящих врагов.

Преуспевай, несмотря ни на что.
То доброе, что ты сделал сегодня, завтра будет уже забыто.

Делай добро, несмотря ни на что.
Честность и искренность делают тебя уязвимым.

Будь честен и искренен,
несмотря ни на что.
Люди жалеют проигравших, но следуют за победителями.

Сразись за пару проигравших,
несмотря ни на что.
То, что строилось годами, может быть разрушено за одну ночь.

Строй дальше, несмотря ни на что.
Люди, которым действительно нужна помощь, могут наброситься на того, кто им помогает

Помогай им несмотря ни на что.
Отдавай миру лучшее, что у тебя есть и вместо благодарности ты получишь пинок.

*Отдавай людям лучшее,
несмотря ни на что.
В конце концов все это твои дела с Богом.
В любом случае это никогда не было делом
между тобой и другими.*

? Вопросы для личного размышления

1. Что помешало тебе найти своего возможного преемника?
2. Когда придет время искать преемника? Начни вовремя.
3. Как скоро у тебя наступит тот следующий момент, когда пора отпустить?
4. Что мешает тебе это сделать?

ПОСЛЕСЛОВИЕ

Господь избрал людей для совершения Своего шедевра на Земле. Тот свет, который Христос зажег в каждом верующем, мы должны нести во все уголки этого мира и светить повсюду. Это требует сил и выдержки.

Я надеюсь, что моя книга – это не просто очередная мотивация, которая сохраняется от кафедры до двери. Я не очень-то люблю мотивационные семинары, потому что они не меняют жизнь людей на долгий срок. А вот вдохновение, напротив, на самом деле, пронизывает всю жизнь. Поэтому сначала нужно искать вдохновение, а уже затем мотивацию. Важен именно этот порядок.

Я надеюсь, что эта книга станет для моих читателей вдохновением надолго, и они будут брать ее с полки или открывать ее электронную версию снова и снова, чтобы заглянуть на ее страницы. Потому что я создавал ее с мыслью сделать справочнное руководство, и надеюсь, что и другие поймут ее так же.

Дорогой читатель, передавай, пожалуйста, эти знания дальше, чтобы не забыть их самому. Когда другие обогатятся ими, то и ты обогатишься, если останешься активным пользователем приобретенных знаний.

Я желаю тебе быть счастливым и заниматься своим совершенствованием. Все-таки ты не можешь стать счастливым, если не будешь развиваться. Сделай этот подарок себе и другим – постоянно трудись над собой. Для меня это тоже было бы подарком, если я смог поддержать тебя на твоем пути совершенствования.

БИБЛИОГРАФИЯ

Amichai, Jehuda: *Zeit. Gedichte.* – Frankfurt am Main. 1998. / Одно из изданий на русском языке: Амихай, Йегуда: *Избранные стихи.* – Перевод с иврита, составление, предисловие и комментарии Александра Бараша. / Йегуда Амихай. – Москва: Книжники, 2019

Balz, Horst / Schrage, Wolfgang: *Das Neue Testament Deutsch. Die «Katholischen» Briefe. Die Briefe des Jakobus, Petrus, Johannes und Judas.* – Göttingen. 1973.

Birkenbihl, Vera F.: *Stroh im Kopf? Vom Gehirn-Besitzer zum Gehirn-Benutzer.* – München. 2009. / На русском языке можно найти другие книги Веры Биркенбиль. Например, Биркенбиль, *Вера: Тренинг уверенного общения.* – Москва: БОМБОРА, 2022

Buckingham, Markus / Coffman, Curt: *Erfolgreiche Führung gegen alle Regeln. Wie Sie wertvolle Mitarbeiter gewinnen, halten und fördern.* – Frankfurt am Main. 2005. / Эта книга на русском языке: Бакингем, Маркус; Коффман, Курт. *Сначала нарушьте все правила. Что лучшие в мире менеджеры делают по-другому.* – М.: «Альпина Паблишер», 2011.

Bovon, François: *Das Evangelium nach Lukas: 9,51-14,35 (EKK III/2).* – Neukirchen-Vluyn. 1996.

Covey, Stephen R.: *Der 8. Weg. Mit Effektivität zu wahrer Größe.* – Offenbach. 2018. / Эта книга на русском языке: Стивен Р. Кови. *Восьмой навык. Руководство пользователя.* – М.: «Альпина Паблишер», 2010

Covey, Stephen R.: *Die 7 Wege zur Effektivität. Prinzipien für persönlichen und beruflichen Erfolg.* – Offenbach. 2018. / Эта книга на русском языке: Стивен Р. Кови. *Семь навыков высокоэффективных людей: Мощные инструменты развития личности.* – М.: «Альпина Паблишер», 2012

Covey, Stephen R.: *Die 12 Gründe des Gelingens. Oder das Geheimnis wahrer Größe.* – Offenbach. 2016.

Dietrich, Walter: *David. Der Herrscher mit der Harfe.* – Leipzig. 2016.

Duckworth, Angela: *GRIT – Die neue Formel zum Erfolg: Mit Begeisterung und Ausdauer ans Ziel.* – München. 2017. /
Эта книга на русском языке: Анжела Ли Дакворт: *Упорство. Как развить в себе главное качество успешных людей.* – Москва: БОМБОРА, 2016

Ericsson, K. Anders / Pool, Robert: *Top. Die neue Wissenschaft vom Lernen.* – München. 2016. /
Эта книга на русском языке: Андерс Эрикссон, Роберт Пул. *Максимум. Как достичь личного совершенства с помощью современных научных открытий.* – М.: Издательская Группа «Азбука-Аттикус», 2016

Faix, Tobias / Hofmann, Martin / Künkler, Tobias: *Warum ich nicht mehr glaube: Wenn junge Erwachsene den Glauben verlieren.* – Witten. 2015.

Feucht, Erika: *Frauen, in: Der Mensch des Alten Ägypten.* Essen. 2004.

George, Bill: True North. Discover Your Authentic Leadership. – San Francisco. 2007. /
Эта книга на русском языке: Билл Джордж. *Внутренний компас лидера* – М.: «Альпина Паблишер», 2019

Grzeskowitz, Ilja: Radikal menschlich. *Erfolgsfaktor Persönlichkeit in Zeiten der Veränderung.* – Offenbach 2018.

Haller, Reinhard: *Die Macht der Kränkung.* – Wals bei Salzburg. 2015.

Herbst, Michael / Härry, Thomas (Hg.): *Die dunkle Seite der Macht. Was Führung gefährdet und was sie schützt.* – Asslar. 2021.

Hybels, Bill: Mutig führen. *Navigationshilfen für Leiter.* – Asslar. 2016. /
Эта книга на русском языке: Билл Хайбелс. *Отважное лидерство* – М.: Издательский Дом «Христофор», 2007

Jäncke, Lutz: *Selbst ist das Hirn, in: Spektrum der Wissenschaft Kompakt* (01.21). – Heidelberg. 2021.

Kegan, Robert: *Die Entwicklungsstufen des Selbst. Fortschritt und Krisen im menschlichen Leben.* – München. 1994 /
На русском языке можно найти другие книги Роберта Кигана. Например, Киган, Роберт: *Семь преобразующих языков. От того, как мы говорим, зависит то, как мы будем работать.* – Москва: Манн, Иванов и Фербер, 2019

Keltner, Dacher: Das Macht-Paradox: Wie wir Einfluss gewinnen – oder verlieren. – Frankfurt am Main. 2016. /
Эта книга на русском языке: Дачер Келтнер. Парадокс власти. Как обретают и теряют влияние – М.: Издательская Группа «Азбука-Аттикус», 2016

Knauf, Ernst Axel: *Herders Theologischer Kommentar zum Alten Testament. 1.Könige 1–14.* –Freiburg im Breisgau. 2016.

Knauf, Ernst Axel: *Josua.* – Zürich. 2008.

Knoblauch, Jörg: Die Chef-Falle. *Wovor Führungskräfte sich in Acht nehmen müssen.* – Frankfurt am Main. 2013.

Krause, Joachim J.: *Exodus und Eisodus. Komposition und Theologie von Josua 1-5.* – Leiden. 2014.

Lohre, Matthias: *Das Opfer ist der neue Held: Warum es heute Macht verleiht, sich machtlos zu geben.* – Gütersloh. 201.9

Lux, Rüdiger: Josef. *Der Auserwählte unter seinen Brüdern.* – Leipzig. 2020.

MacDonald, Gordon: *Ordne dein Leben. Perspektiven für den Umgang mit dem Leben und der Zeit.* – Asslar. 2004. /
Эта книга на русском языке: Гордон Макдональд. *Как упорядочить свой внутренний мир* – М.: Издательство «Мирт», 2011

Merath, Stefan: *Der Weg zum erfolgreichen Unternehmer. Wie Sie und Ihr Unternehmen neue Dynamik gewinnen.* – Offenbach. 2008.

Ogne, Steven L. / Nebel, Thomas P.: *Coaching. So entfalten Sie das Potenzial von Mitarbeitern, Leitern, Pastoren und Gemeindegründern.* – Würzburg. 2001.

Paschen, Michael / Dihsmaier, Erich: *Psychologie der Menschenführung. Wie Sie Führungsstärke und Autorität entwickeln.* – Heidelberg. 2011.

Peter, Laurence J. / Hull, Raymond: *Das Peter-Prinzip. Oder Die Hierarchie der Unfähigen.* – Hamburg. 2012. /
Эта книга на русском языке: Питер Лоуренс Джонстон, Халл Реймонд. *Принцип Питера, или Почему дела идут вкривь и вкось.* – СПб.: Издательство «Астрель», 2012

Purps-Pardigol, Sebastian: *Führen mit Hirn. Mitarbeiter begeistern und Unternehmenserfolg steigern.* – Frankfurt am Main. 2015.

Rapaille, Clotaire: *Der Kultur-Code. Was uns trennt – was uns verbindet.* – Leipzig. 2007. /
Эта книга на русском языке: Рапай Клотер. *Культурный код. Как мы живем, что покупаем и почему.* – СПб.: Издательство «Альпина Паблишер», 2023

Rindermann, Heiner: *Intelligenzwachstum in Kindheit und Jugend, in: Psychologie in Erziehung und Unterricht.* – München. 2011.

Scheuermann, Ulrike: *Freunde machen gesund. Die Nummer 1 für ein langes Leben: deine Sozialkontakte.* – München. 2021.

Smith, Maureen M.: *Wilma Rudolph: A Biography.* – Westport. 2006.

Stobbe, Marcus: *Lösungsorientiert denken und handeln. Wie eine Haltung Ihr Leben verändert.* – Freiburg im Breisgau. 2019.

Thomas, Gary L: *Neun Wege, Gott zu lieben. Die wunderbare Vielfalt des geistlichen Lebens.* – Witten. 2015. /
На русском языке можно найти другие книги Гэри Томаса. Например, Томас, Гэри: *Священное родительство. Как дети влияют на духовный рост родителей.* – Издательство «Виссон», 2020

Tracy, Brian: Thinking Big. *Von der Vision zum Erfolg.* – Offenbach. 2001 /
На русском языке можно найти другие книги Трейси Брайана. Например, Брайан Трейси. *Действуй разумно!* – Издательство «Попурри», 2019

Trost, Armin: *Neue Personalstrategien zwischen Stabilität und Agilität.* – Berlin. 2018.

Weiss, Andi: *Mit dem Herzen laufen lernen. 50 Gedanken, Begegnungen und Impulse, die bewegen und Mut machen.* – Asslar. 2016.

Wolf, Tobias: *Völkermord im Alten Testament – Auftrag eines liebenden Gottes?*, in: *Forum für Theologie & Gemeinde: Der Gott, der uns nicht passt. Beiträge zum Verstehen des Alten Testaments.* – Erzhausen. 2015.